D1578572

Société et culture en France depuis 1945

Philippe Poirrier

Maître de conférences
d'histoire contemporaine
à l'université de Dijon

MÉMO

Seuil

MÉMO

COLLECTION DIRIGÉE PAR JACQUES GÉNÉREUX

EXTRAIT DU CATALOGUE

ISBN 2-02-031199-2
© Éditions du Seuil, avril 1998

SOMMAIRE

FLUX ET REFLUX DÉMOGRAPHIQUES

A. UNE FORTE CROISSANCE

a. Un pays malthusien

Entre 1891 et 1940 la population française avoisine les 40 millions d'habitants. Pendant l'entre-deux-guerres, et malgré une politique nataliste (loi contre l'avortement en 1920, Code de la famille en 1939), le remplacement des générations n'est pas réalisé.

Une « transition démographique » précoce et atypique, la fécondité baissant au même rythme que la mortalité, explique cette stagnation démographique.

Tableau 1	
La population française	
(en millions d'habitants)	
1650	20,0
1750	21,0
1850	36,5
1900	39,0
1950	42,0
1997	58,5

b. Une nouvelle jeunesse

La reprise d'après-guerre est exceptionnelle et représente une situation unique dans l'histoire démographique du pays. Un *baby-boom* fondé sur de forts taux d'accroissement naturel perdure jusqu'en 1964. La conséquence la plus sensible est l'augmentation du nombre de jeunes.

c. Ralentissement de la croissance

A partir du milieu des années 60, la croissance ralentit à la suite d'une baisse de la fécondité. **Il reste qu'en cinquante ans l'accroissement de la population est de plus de 40 % et traduit un changement majeur dans l'évolution à long terme.**

Cette rupture démographique, masquée pendant une décennie par le nombre élevé des femmes en âge de procréer, puise ses racines dans l'évolution des comportements et des mentalités : conception individualiste de la famille, relation bilatérale parents-enfants.

Le modèle de la famille bourgeoise s'est délité et a laissé la place à une pluralité de formes conjugales, caractérisées par la baisse de la nuptialité, la croissance des naissances hors mariage, l'importance des divorces, la multiplication des formes monoparentales et des recompositions familiales.

Cette mutation est pour l'essentiel indépendante de l'évolution économique intérieure comme de la conjoncture internationale. Certes, à partir de 1973-1974, le poids de la crise économique a conforté les tendances en cours et a marqué les structures conjugales.

B. LES INDICATEURS DÉMOGRAPHIQUES

a. Natalité et fécondité

Des 600 000 naissances par an des années 30, on passe à plus de 850 000 à la Libération, avec un point culminant en 1949 avec 869 000 naissances. Ce *baby-boom* atteint un second maximum en 1964 avec 874 000 naissances. Les naissances fléchissent ensuite et se stabilisent vers 750 000 par an à partir des années 80.

Tableau 2					
	Unité	1950	1970	1990	1995
Taux de natalité brut	‰	20,50	16,70	13,40	12,50
Indice conjoncturel de fécondité	2,93	2,47	1,78	1,70	

Source : *L'État de la France*, Paris, Éd. de La Découverte, 1997.

La fécondité est restée élevée (de 2,3 à 3 enfants par femme) pendant trente ans avant de fléchir dans les années 70 et de passer, à partir de 1978, sous la barre des 2,1. Malgré cela, la France demeure, avec l'Irlande, le pays de l'Union européenne où la fécondité est la plus forte.

Le débat est ouvert entre ceux qui estiment que la France risque une dépopulation et ceux qui défendent une stabilisation, liée à l'évolution des comportements qui suscite un retard dans la constitution des familles.

b. Baisse de la mortalité

Après 1945, la baisse de la mortalité est rapide et conduit à une hausse sensible de l'espérance de vie à la naissance. Au lendemain de la guerre, les progrès sanitaires (antibiotiques et Sécurité sociale) permettent de lutter contre les maladies infectieuses et de réduire la mortalité infantile. A partir des années 70, les succès

Tableau 3					
	Unité	1950	1970	1990	1995
Taux de mortalité brut	‰	12,7	10,6	9,3	9,1
Espérance de vie	années				
– hommes		63,4	68,4	72,7	73,8
– femmes		69,2	75,8	80,9	81,9
– ensemble		66,4	72,1	76,8	77,8
Taux de mortalité infantile	‰	52,3	18,2	7,3	4,9

Source : *L'État de la France*, Paris, Éd. de La Découverte, 1997.

enregistrés dans la lutte contre les maladies cardio-vasculaires et certains cancers permettent une nouvelle progression de l'espérance de vie, différenciée selon les sexes et l'appartenance sociale.

c. Les migrations

L'accroissement de la population de 16,1 millions entre les recensements de 1946 et 1996 est pour 4 millions lié au solde

Tableau 4					
Évolution de la population française selon la nationalité (en milliers)					
	Français de naissance	Français naturalisés	Total	Étrangers	Population totale
1946	37 251	853	38 104	1 744	39 848
1954	39 948	1 068	41 016	1 765	42 781
1962	43 005	1 284	44 289	2 170	46 459
1968	45 713	1 320	47 033	2 621	49 654
1975	47 765	1 392	49 157	3 442	52 599
1982	49 160	1 422	50 582	3 714	54 296
1990	51 267	1 775	53 042	3 582	56 624

Source : *L'État de la France*, Paris, Éd. de La Découverte, 1997.

migratoire. Le nombre d'étrangers résidant en France dépend aussi des naissances d'étrangers et des naturalisations.

C. STRUCTURE PAR ÂGES

a. Malthus et les guerres

La structure par âges d'une population demeure liée à la fécondité, à la mortalité et aux migrations qu'elle a connues dans le passé.

Tableau 5			
(en %)	**1946**	**1965**	**1997**
0-19 ans	29,5	33,9	25,9
20-64 ans	59,4	54,1	58,7
65 ans et plus	11,1	12,0	15,4

En 1946, la France présente une population vieillissante marquée par une faible fécondité et les déficits des naissances des deux guerres mondiales.

b. Les années 60 : le défi jeune

En 1965, le rajeunissement provoqué par le *baby-boom* fait sentir ses effets. La société est confrontée à cet afflux qui suscite des **mutations dans de nombreux domaines** : urbanisation et exode rural, logements et équipements socioculturels, système scolaire… L'adolescent adopte un style de vie spécifique avec sa mode vestimentaire (*blue-jeans* et *tee-shirts*), ses consommations et ses pratiques culturelles. Le temps des « copains », marqué par les rythmes « yé-yé », s'ouvre.

c. Une France vieillissante

En 1997, le vieillissement de la population est net : il résulte à la fois du nombre croissant des personnes âgées et de la baisse de la fécondité. La montée des classes pleines et la réduction de la mortalité aux grands âges devraient conforter cette tendance au tournant du siècle.

Le quotidien des plus de 60 ans a beaucoup évolué. Le temps de la « retraite » est celui d'une nouvelle vie permise par une espérance de vie élevée, un meilleur état de santé et des ressources mieux assurées.

MUTATIONS DE LA POPULATION ACTIVE

Par-delà la croissance (à partir des années 60) du nombre des actifs – 19,5 millions en 1949 ; 19,83 millions en 1962 ; 22,2 millions en 1975 ; 22 millions en 1993 –, les mutations de la population active concernent surtout sa structure. **En deux générations, alimentée par la croissance des « trente glorieuses », la France bascule dans le cercle des sociétés postindustrielles.** A partir du milieu des années 70, la crise économique conforte ces tendances et suscite une inexorable montée du chômage.

A. UNE SOCIÉTÉ POSTINDUSTRIELLE

a. La France qui disparaît

Au début du siècle, quatre groupes sociaux composent la société française : les paysans, la bourgeoisie, le prolétariat et les classes moyennes. Pays rural, la France conserve jusqu'aux années 30 une paysannerie majoritaire. Classe dominante et possédante, la bourgeoisie s'oppose à un prolétariat, fort d'une conscience de classe forgée dans l'identité du métier et du combat. Les classes moyennes, groupe intermédiaire et très divers, aspirent au mode de vie bourgeois. Une violence sociale omniprésente travaille cette société.

b. La fin des paysans

Le déclin rapide de la place des paysans dans la population active est une mutation majeure que les choix gouvernementaux et l'intégration de l'agriculture nationale dans le Marché commun accélèrent au cours des années 60.

Tableau 6				
Population active (en %)	1906	1936	1946	1968
Primaire	43	37	36	15
Secondaire	29	29	30	40
Tertiaire	26	33	32	45

Source : Pierre Guillaume, *Histoire sociale de la France au XXe siècle*, Paris, Masson, 1993.

La modernisation de l'agriculture, portée à partir des années 50 par la Jeunesse agricole chrétienne (JAC) et le Centre national des jeunes agriculteurs (CNJA), a considérablement fait évoluer le métier. Le paysan est devenu un agriculteur, chef exploitant, doté d'un savoir-faire technique et économique indispensable. De fait, c'est, par-delà un simple groupe socioprofessionnel, tout un mode de vie qui disparaît. L'autoconsommation d'hier laisse la place à une activité productive, spécialisée, étroitement liée au marché. La vie quotidienne se rapproche de celle des citadins. La civilisation paysanne cesse d'exister.

c. Apogée de la classe ouvrière

Après 1945, l'heure est à la reconstruction et suscite une croissance du monde ouvrier. Avec 37,7 % de la population active en 1968, l'apogée est atteinte.

Au début des années 60, **les sociologues pointent une « nouvelle classe ouvrière »** qui se caractérise par une croissance des ouvriers qualifiés et des techniciens, une meilleure condition de vie et une intégration au sein de la société. La diversité reste cependant de mise et bien des choses séparent l'ouvrier qualifié de chez Renault, bénéficiant d'acquis sociaux, de l'ouvrier temporaire d'une petite entreprise du bâtiment. De même, les postes d'ouvriers spécialisés – effectuant un travail répétitif et parcellisé – demeurent majoritaires, occupés par les femmes et un sous-prolétariat immigré.

d. L'élargissement des classes moyennes

La tertiairisation de l'économie conduit à un essor de la classe moyenne salariée, hétérogène dans sa composition, qui représente près de 45 % de la population active en 1975. Ses membres se singularisent par un sentiment d'appartenance à une classe intermédiaire, par des consommations et des pratiques culturelles marqueuses d'une posture sociale ascendante.

En revanche, la classe moyenne indépendante appartient au camp des vaincus de la croissance et alimente la révolte poujadiste à la fin des années 50.

e. De la bourgeoisie aux élites

La classe dirigeante enregistre quelques mutations. L'essentiel consiste en l'apparition d'un patronat de gestionnaires salariés aux dépens des grandes dynasties capitalistes. Le mérite et la compétence concurrencent la seule fortune sans pour autant permettre une ouverture des élites. De plus, la République gaullienne facilite la fusion entre les élites économiques, administratives et politiques.

Formée des patrons des grandes entreprises, des membres de la haute administration, de quelques professions libérales, des milieux intellectuels les plus influents, cette bourgeoisie, enregistrée dans le *Bottin mondain* et le *Who's Who*, cultive sa différence par des pratiques sociales distinctives, « une culture de l'entre soi » (Michel Pinçon et Monique Pinçon-Charlot, *Grandes Fortunes*, Paris, Payot, 1986) , et un patrimoine, économique et culturel, à transmettre. Elle adopte un comportement de classe au sein d'une société qui obéit désormais à une autre organisation.

B. LA FIN DU PLEIN-EMPLOI

a. Confirmation des tendances

La crise économique a confirmé, voire accéléré, les tendances enregistrées depuis les années 60 : **salarisation** – la mensualisation se généralise au début des années 70 –, **tertiairisation et féminisation de la population active**.

Tableau 7			
Population active (en %)	**1975**	**1980**	**1995**
Agriculture	9,5	39,2	51,3
Industrie	7,9	33,7	58,4
Tertiaire	4,8	25,4	69,8
Source : INSEE.			

Les revenus, les diplômes et les modes de vie dessinent une société moins hiérarchisée, plus fragmentée, structurée autour d'une constellation centrale (professions intermédiaires et cadres) et une constellation populaire (ouvriers et employés) laissant à sa tête les élites (3 %) et à sa base les pauvres (7 %).

b. Diversité de la constellation centrale

Le poids de la constellation centrale (25 % du total) s'affirme. Par sa mobilité sociale et son mode de vie, le « cadre » représente l'élément emblématique de ce groupe.

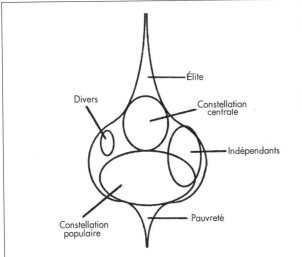

Source : Henri Mendras, *La Seconde Révolution française*, Paris, Galli-mard, 1994.

Au sein de celui-ci, les ingénieurs technico-commerciaux, les ingénieurs et cadres de l'informatique connaissent une forte croissance dans les années 80.

Contrôlant le savoir et la culture, les professions de l'enseignement et des métiers socioculturels occupent une place spécifique et ont influencé, au cours des années 70 notamment, les modes de vie de l'ensemble de la structure sociale. L'allongement des études renforce l'homogamie par le diplôme aux dépens de la seule origine sociale.

L'innovation culturelle provient désormais de la constellation centrale, se diffuse ensuite dans toute la société et rend pour une large part caduques les anciennes oppositions culture savante/culture populaire et culture dominante/culture dominée.

c. Homogénéisation de la constellation populaire

La constellation populaire (50 %) est caractérisée par la rareté des diplômes et la faible dispersion des revenus. Le ménage type est formé d'un ouvrier et d'une employée. D'une manière générale, l'emploi féminin brouille les stratifications sociales traditionnelles et contribue à l'homogénéisation.

Jusqu'aux années 70, les ouvriers ont représenté environ 40 % de l'emploi total. Depuis, la désindustrialisation et les gains de productivité ont suscité une chute des emplois industriels, touchant au premier chef les ouvriers non qualifiés. En 1995, les ouvriers ne représentent plus que 27,1 % de la population active.

Si les ouvriers ont accès à la consommation de masse, ils demeurent les derniers bénéficiaires de la distribution des revenus et du capital culturel. La conscience de classe s'est amoindrie tout en laissant subsister un véritable stress social face à la précarité de l'emploi et l'incertitude de l'avenir. Au sein d'une identité ouvrière fortement ébranlée, quelques pratiques spécifiques résistent : une division des tâches et du travail entre les hommes et les femmes, une valorisation du travail jusque dans les loisirs et l'importance accordée à la vie familiale.

d. La montée du chômage

Inférieur à 3 % de la population active jusqu'à la crise économique, le chômage ne cesse de progresser depuis, excepté entre 1986 et 1989 et lors de la reprise de 1994-1995. En fait, sa croissance s'amorce dès 1967 et s'accélère après 1974.

A partir des années 90, toutes les catégories de la population sont touchées, même si les ouvriers, les femmes et les étrangers le sont davantage. La France enregistre plusieurs spécificités : un mauvais chiffre global, un taux de chômage des jeunes élevé (26 % en 1996) et un important chômage de longue durée. Cela étant, la part du chômage des jeunes (4 % en 1975, 11,4 % en 1985, 7,7 % en 1996) offre un meilleur état de la situation et s'explique par le faible taux d'activité des 15-25 ans, lié à la progression des taux de scolarisation. Le diplôme ne protège plus du chômage même si les plus qualifiés sont moins touchés. Par ailleurs, la précarité des emplois s'est généralisée, les contrats à durée déterminée (CDD) devenant la règle pour un premier emploi, les contrats à durée indéterminée (CDI) l'exception.

Pour lutter contre ce chômage, dont les causes sont à la fois conjoncturelles et structurelles, des politiques de l'emploi des politiques de l'emploi se sont succédé depuis vingt ans (soixante-dix-sept dispositifs sont repérables de 1973 à 1994). Elles ont surtout permis de réduire les hausses conjoncturelles du chômage.

Tableau 8
Taux de chômage comparés
(en moyenne annuelle)

	1970	1975	1980	1985	1990	1996
France	2,5	4,0	6,3	10,2	9,0	12,3
RFA	0,6	5,3	2,2	2,5	4,8	1,1
Italie	4,0	5,8	3,2	4,2	8,3	1,9
R-U	3,2	7,5	5,6	6,2	7,0	2,0
CEE	8,0	10,1	11,5	11,0	7,1	2,6
É-U	6,2	10,3	5,5	8,5	5,4	2,1
Japon	9,0	12,0	8,2	10,9	5,4	3,4

Source : *L'État de la France*, Paris, Éd. de La Découverte, 1997.

La perpétuation de ce chômage de masse explique l'extension et l'aggravation des phénomènes d'exclusion dans la société française ces dernières années.

Depuis 1945, la population active est soumise à de fortes mutations. **Ces dernières ne sont pas spécifiques à la France, même si certains traits traduisent une singularité nationale. Le phénomène est de grande ampleur et conduit à la disparition de la société industrielle née à la fin du XVIIIe siècle en Europe occidentale.** De nouvelles pratiques sociales et de nouveaux clivages s'instaurent.

En 1949, la publication du *Deuxième Sexe*, de Simone de
Beauvoir, crée le scandale. L'ouvrage est critiqué par de nombreux intellectuels et est mis à l'Index par le Vatican. Il est l'une
des références des femmes qui luttent pour le droit et l'égalité à
partir des années 70. En cinquante ans, la place des femmes dans
la société française a considérablement évolué. Cette révolution
marque les mœurs, les familles et les modes de pensée.

A. LIBÉRATION DES FEMMES

a. Une révolution des mœurs

La première mutation est politique : en 1944, une ordonnance,
prise à Alger, accorde le droit de vote aux femmes. La France est
l'un des derniers pays européens à reconnaître l'égalité politique. Trois temps scandent le comportement électoral des
femmes : plus abstentionnistes et conservatrices que les hommes
jusqu'aux années 60, l'écart se réduit la décennie suivante. Les
années 80 enregistrent une pleine autonomie, avec une tendance
à moins voter pour les extrêmes.

La seconde mutation est économique : la féminisation croissante
du monde du travail (34,2 % de la population active en 1954,
38,9 % en 1975, 46,4 % en 1990) conduit à une plus grande
autonomie socio-économique. **Contrairement au modèle
bourgeois du XIXᵉ siècle, le travail féminin, gage d'indépendance et d'existence sociale, est recherché.** Surtout, les mères
aussi n'aspirent plus à rester au foyer.

L'essentiel se joue à l'échelle des mentalités et participe des
grandes ruptures des années 60-70 : la maîtrise de la fécondité, la
conquête d'une maternité heureuse, la « révolution sexuelle », la
dénonciation du « patriarcat », le fonctionnement plus libéral de
la famille et la conception individualiste du mariage. Entre 1965
et 1975, les Françaises conquièrent leur liberté.

b. Les mouvements féministes

Par-delà les mutations globales de la société, cette révolution des
mœurs est liée pour une part à la lutte des femmes. Divisé en de
multiples chapelles, du séparatisme lesbien au féminisme radical,
le mouvement féministe français s'inscrit dans la suite du mouvement de Mai 68 et s'apparente à l'explosion des groupes gau-

3

chistes. La naissance du Mouvement de libération des femmes
(MLF) en 1970, le manifeste des 343 « salopes » en 1971, la relaxe
d'une adolescente inculpée d'avortement lors du procès de
Bobigny en 1972, la création en 1973 du Mouvement pour la
libération de l'avortement et de la contraception (MLAC) mani-
festent un féminisme plus virulent. Ce militantisme a joué un
rôle de groupe de pression et de sensibilisation et colore à ce
titre le féminisme ordinaire.
Le rôle des médias est par ailleurs décisif. L'émission quotidienne de Menie Grégoire sur Radio-Luxembourg (1967-1981),
la série télévisée *Les Femmes aussi* d'Éliane Victor (1964-1973) et
la presse féminine (*Elle*, *Marie Claire*) contribuent à l'évolution
de la culture féminine de masse.

c. Une législation en retard

Confronté à ces mutations décisives, l'État accompagne avec
retard, et non sans de fortes résistances, l'évolution des mœurs
en édictant une nouvelle législation. De plus, le choix gaullien de
l'élection du président de la République au suffrage universel
contribue à la prise en compte de l'électorat féminin.
Une nouvelle législation modifie les régimes matrimoniaux en
1965. L'épouse peut désormais gérer ses biens propres et travailler sans l'autorisation de son mari. En 1967, la loi Neuwirth
autorise la contraception tout en multipliant les effets dissua-
sifs. En 1970, l'autorité parentale efface la puissance paternelle.
La loi Veil rend légale en 1975 l'interruption volontaire de gros-
sesse. La même année, une loi facilite les procédures du divorce
en instaurant le consentement mutuel.
L'organigramme gouvernemental enregistre les évolutions : en
1974, Françoise Giroud devient le premier secrétaire d'État aux
Droits des femmes.

B. INÉGALITÉS PERSISTANTES

a. Le sexisme ordinaire

Le militantisme des féministes et l'appareil législatif n'ont pas
fait disparaître le sexisme ordinaire. **Le poids des mentalités alimente l'inégalité entre hommes et femmes.** En 1991 encore,
Édith Cresson, première femme à être nommée chef du gouvernement, est confrontée au machisme des médias et des parle-
mentaires.

b. Emplois et revenus

L'écart des salaires entre hommes et femmes demeure de l'ordre de 20 à 30 %. La concentration des femmes dans les secteurs d'activité les moins rémunérés et dans les postes les moins qualifiés explique cette inégalité. De surcroît, malgré de réelles évolutions, les femmes n'ont pas atteint la parité dans les postes de direction et d'encadrement. L'accès à la formation et au diplôme, tendance sensible depuis les années 70, ne suffit pas à inverser significativement cette situation.

Le temps partiel, pas toujours volontaire, touche davantage les femmes (30 %) que les hommes (5 %). Conçu par les femmes les plus diplômées comme un moyen de combiner vie familiale et vie professionnelle, il demeure le plus souvent un outil de flexibilité au service des entreprises.

La double journée conserve toute sa réalité pour la majorité des femmes, qui assurent les tâches domestiques et l'éducation des enfants. La maternité fragilise la liberté des femmes.

c. L'éligibilité : des quotas à la parité

Si les femmes ont su gagner leur autonomie socio-économique et citoyenne, il en est autrement de l'exercice du droit d'éligibilité. Pays marqué par la culture catholique, qui cantonne la femme dans le rôle de mère et d'épouse, la France, contrairement aux nations d'Europe du Nord, ne laisse qu'une faible place aux femmes au sein de l'Assemblée nationale : 7 % en 1946, 3,5 % en 1951, 6 % en 1993. Une évolution favorable est repérable dans le cadre des élections locales.

Depuis les années 70, les femmes luttent contre cette situation, en revendiquant tout d'abord l'obtention de quotas sur les listes de candidats. A partir des années 90, la parité, à savoir l'occupation par les femmes de la moitié des mandats électifs et des postes de décision, devient la principale revendication. En 1996, dix femmes de différentes sensibilités politiques et ayant occupé de hautes fonctions publiques publient le *Manifeste pour la parité*. Signe des temps, en 1997, le gouvernement Jospin compte plusieurs femmes à des postes clés.

L'autonomie sociale croissante des femmes, la maîtrise de leur corps et de leur sexualité constituent des mutations de première importance qui influencent l'ensemble de la société. Face au sexisme et au patriarcat, réactivés par le contexte économique, le combat reste d'actualité.

DE LA PAUVRETÉ À L'EXCLUSION

La question du paupérisme avait été centrale au XIXᵉ siècle. La croissance des « trente glorieuses » relègue au second plan une pauvreté, perçue le plus souvent comme résiduelle. Au milieu des années 80, la « nouvelle pauvreté » s'affiche et la notion d'exclusion, malgré ses ambiguïtés, s'impose peu à peu.

A. UNE PAUVRETÉ RÉSIDUELLE

a. Absente du débat

Pendant les « trente glorieuses », l'intégration sociale passe par le développement économique, le plein-emploi, la croissance du salariat et l'enrichissement collectif. La croyance en un avenir meilleur, fondé sur une relative mobilité sociale, est générale.

La Sécurité sociale, système de redistribution sociale (▶ **chapitre 7**), constitue aussi un instrument de cohésion sociale efficace. Elle est d'ailleurs perçue par les Français comme un dépassement de l'assistance et un moyen pour faire reculer la pauvreté. Certes, l'assistance subsiste sous la forme de l'aide sociale qui offre une aide médicale gratuite à ceux qui ne sont pas couverts par la Sécurité sociale.

b. Le primat des inégalités

L'essentiel du débat concerne la question des inégalités de revenus. Il se pose sous la forme de l'inégal partage des fruits de la croissance. La pauvreté renvoie à la condition des populations en bas de la hiérarchie sociale, notamment les ouvriers.

Dans les années 50, le PCF déploie le concept de paupérisation des travailleurs. Il s'agit de dénoncer la déshumanisation de l'ouvrier et l'aliénation de l'homme. A ce titre, la paupérisation est un concept au service de la lutte des classes.

Jusqu'aux années 70, la pauvreté touche surtout les personnes âgées. La situation s'améliore à partir des années 60 grâce à une politique sociale volontariste, mais en 1970, plus de la moitié des retraités touche encore une pension inférieure à 75 % du montant du salaire minimal. **L'intervention de l'État providence est efficace, mais laisse de côté certaines catégories : les plus âgés, et parmi eux les femmes seules, demeurent proches de la misère.**

c. Le logement : un révélateur

Dans les années 50, la question du logement joue le rôle d'un révélateur. Le parc des logements ne permet pas de loger convenablement une population en expansion. Bien plus, sa vétusté est frappante : en 1959, subsistent 350 000 taudis ; 41 % des logements n'ont pas l'eau courante, 73 % les W-C individuels et près de 90 % ni douche ni baignoire. En région parisienne et dans les grandes villes, les hôtels meublés, des immeubles vétustes et des bidonvilles accueillent des populations qui ne bénéficient pas des fruits de la croissance et demeurent dans le sous-prolétariat. La réplique associative rend visible cette situation. Le mouvement *squatter* réquisitionne des logements vides. Pendant le dur hiver 1954, l'abbé Pierre s'appuie sur les médias pour dénoncer les conditions de vie dans les bidonvilles et susciter un large mouvement de solidarité. A partir de 1957, l'association ATD Quart Monde, fondée par le père Joseph Wresinski, milite pour redonner une dignité à ces populations et les aider à trouver une réelle autonomie.

La réponse des pouvoirs publics se matérialise, pendant les années 60, par un ambitieux programme de construction de logements sociaux. Malgré cela, les habitations à loyer modéré (HLM) ne sont pas accessibles aux plus démunis et les cités de transit ou d'urgence accueillent un sous-prolétariat misérable, frange du monde ouvrier, qui possède un emploi irrégulier et marginal, proche des conditions de travail de la première industrialisation. Cette pauvreté se reproduit de génération en génération. Pour la majorité d'entre eux, le transit se mue en situation durable. Si cette pauvreté fait scandale, elle stigmatise des populations, encadrées par des travailleurs sociaux, qui vivent dans l'humiliation et la honte. Il faut attendre le début des années 70 pour voir se résorber, non sans difficultés, ces taudis et bidonvilles.

Les grands ensembles accueillent une partie de cette population marginale sans résoudre pour autant la question de la pauvreté. Au milieu des années 70, les « barres » et les « tours » symbolisent cette architecture des zones à urbaniser en priorité (ZUP) qui fleurissent aux abords des concentrations urbaines. Ces grands ensembles, qui vieillissent vite et s'appauvrissent socialement, vont bientôt être le lieu des problèmes liés à la ségrégation urbaine.

4

d. Une difficile évaluation

L'évaluation du nombre de ces exclus de la croissance est peu aisée. Une enquête de 1962 offre quelques repères : 27 % des ménages subviennent tout juste aux besoins les plus élémentaires.

Au début des années 70, 10 % environ de la population, soit 5 millions de personnes, perçoivent des sommes inférieures au salaire minimal. Les personnes âgées, les travailleurs étrangers, les malades, les chômeurs, les petits exploitants et salariés agricoles, les petits commerçants et artisans constituent ce groupe hétérogène.

B. UNE NOUVELLE PAUVRETÉ

a. Une nouvelle visibilité

Le début des années 90 enregistre la fin de la réduction régulière de la pauvreté perceptible depuis quarante ans. Le développement de la précarité et d'un chômage massif, de longue durée, rendent la pauvreté visible. L'entrée sur le marché du travail est de plus en plus difficile, alors même que l'emploi demeure la forme principale de la socialisation. **Les restructurations qui affectent la société postindustrielle entraînent une marginalisation de certains groupes sociaux et individus.**

La « nouvelle pauvreté » fait la une des médias. La figure du sans domicile fixe (SDF) devient emblématique d'une situation qui ne touche plus seulement des groupes marginaux. Si la présence des clochards dans l'espace public n'est pas nouvelle, l'apparition de jeunes, de femmes et d'enfants et le recours à la mendicité interpellent l'opinion publique. Les estimations sont difficiles – elles mêlent le nombre de ceux qui restent sans abri sur une année et ceux qui le sont temporairement – et proposent une fourchette de 98 000 à 800 000 personnes au milieu des années 90. L'action des associations et le relais des médias sensibilisent l'opinion publique. La Fédération française des banques alimentaires, créée en 1984, et les Restos du Cœur, lancés par Coluche en 1985, contribuent au regain de l'aide alimentaire.

b. Les formes de l'exclusion

Au début des années 90, l'exclusion, comprise comme un processus, s'impose aux yeux des chercheurs, des acteurs politiques et sociaux. *La Misère du monde* (Pierre Bourdieu [sous la dir.

de], 1993) affecte, de manière durable ou temporaire, des populations fragilisées : les chômeurs de longue durée, les handicapés, les jeunes sans diplômes, les personnes ayant connu une rupture conjugale, les immigrés, les personnes âgées, les malades du SIDA. **L'exclusion n'est pas réductible à un seuil de ressources,** mais intègre la « désafiliation », processus de privation de tout lien social, la « désinsertion » qui traduit le passage de l'inclus à l'exclu.

c. Les réponses de l'État providence

En 1988, le gouvernement Rocard instaure le revenu minimum d'insertion (RMI). Cette mesure vise à renforcer le système de protection sociale. L'objectif est double : procurer des moyens d'existence aux plus démunis et les encourager à s'insérer dans la société. En adoptant ce revenu minimum garanti pour les plus défavorisés, la France rejoint des pays européens souvent plus précoces : le Danemark (1933), le Royaume-Uni (1948), La République fédérale d'Allemagne (1961), les Pays-Bas (1963), la Belgique (1974) et l'Irlande (1977).

Tableau 9 Les bénéficiaires du RMI						
	1989	**1990**	**1991**	**1992**	**1994**	**1995**
Métropole	335 700	422 100	488 400	575 000	803 303	840 839
DOM	91 100	88 000	94 000	96 200	105 033	105 171
Total	426 800	510 100	582 400	671 200	908 336	946 010

Source : *L'État de la France*, Paris, Éd. de La Découverte, 1997.

Le RMI s'inscrit dans la logique de l'État providence à la française. **Il vise à renforcer la cohésion sociale par une extension des droits aux plus démunis.** Il permet d'atténuer les effets sociaux de la dégradation du marché de l'emploi. Le dispositif se caractérise aussi par une politique de partenariat entre l'État, les collectivités locales et le monde associatif. L'ambition nationale se concrétise par une gestion locale.

La valorisation du local, du quartier et du groupe, se retrouve au sein de la « politique de la ville » mise en place dans les années 80. Cette politique, portée par une logique contractuelle, concerne les quartiers en difficulté et vise à lutter contre les différentes formes de l'exclusion. *L'État animateur* (Jacques Donzelot et Philippe Estèbe, 1994) tente de préserver la cohésion sociale du pays en mobilisant les ressources de la société. L'État est de plus en plus partenaire dans une relation négociée avec la société civile.

d. Au cœur du débat politique

Depuis les présidentielles de 1988, la question de la pauvreté est en bonne place sur l'agenda politique. En 1995, le temps d'une campagne, Jacques Chirac construit son discours autour du thème de la « fracture sociale ».

Dans les années 90, les associations caritatives, réunies au sein du réseau Alerte, militent pour l'adoption d'une loi sur l'exclusion. De même, le traitement de la pauvreté participe du débat sur l'avenir de la protection sociale et le sens des solidarités. **A ce titre, la question de la pauvreté est approchée sous la forme d'une réflexion sur les mécanismes de la solidarité nationale.** Au sein d'une société, la notion de pauvreté est toute relative. Par ailleurs, les formes de l'intégration de cette pauvreté jouent sur le vécu et la perception des individus. Aussi les contrastes nationaux sont particulièrement frappants. La pauvreté intégrée des pays de l'Europe méditerranéenne, comme l'Espagne ou l'Italie, semble mieux perçue que la « pauvreté disqualifiante » (Serge Paugam) qui caractérise la situation française.

La France est une terre d'immigration. Après 1945, le redressement de l'économie nécessite de faire appel de nouveau à une main-d'œuvre immigrée. La crise économique conduit à des politiques plus restrictives alors même que la résurgence de la question nationale place les étrangers au centre du débat politique.

A. UNE NÉCESSAIRE IMMIGRATION

a. Une politique migratoire

A la Libération, l'offre de travail nécessaire à la reconstruction du pays et le déficit démographique rendent indispensable le recours à la main-d'œuvre immigrée.

En 1945, les textes législatifs définissent le Code de la nationalité française et créent l'Office national d'immigration (ONI). Il s'agit de concilier l'appel à la main-d'œuvre et le peuplement en privilégiant une population culturellement assimilable. Le ministère du Travail conserve la mainmise sur l'obtention des visas nécessaires pour faire entrer des travailleurs étrangers sur le territoire national. **L'État contrôle le processus migratoire compris comme un élément de la politique économique.**

L'administration accepte cependant de régulariser des entrées sans contrat. Les entreprises contournent les visées démographiques privilégiées par l'ONI en faisant appel aux travailleurs algériens, français au regard de la loi jusqu'en 1962, puis bénéficiant de la libre circulation jusqu'en 1968. L'élément démographique qui consiste à favoriser l'établissement des familles s'estompe devant les priorités du marché du travail.

b. Une immigration retardée

C'est dans la seconde moitié des années 50 que l'immigration prend son envol. De 1945 à 1955, le nombre de travailleurs immigrés stagne. La situation économique du pays, la complexité de la procédure administrative et le manque d'empressement de l'opinion publique expliquent la faiblesse d'une immigration surtout italienne et algérienne.

Après 1955, une immigration massive répond aux besoins d'une économie en forte expansion. Le marché de l'offre et de la demande alimente une immigration de travailleurs clandestins, vite régularisés par l'administration. Entre 1956 et 1972, le solde migratoire s'élève à plus de 2 millions de personnes, soit en moyenne près de 125 000 par an.

Tableau 10
La croissance de la population étrangère

	Population étrangère	% de la population totale
1954	1 765 000	4,1
1962	2 170 000	4,7
1968	2 621 000	5,3
1974	3 442 000	6,5

Source : INSEE, recensements.

L'immigration ibérique et maghrébine s'affirme aux dépens de l'immigration italienne. La population étrangère d'origine européenne reste majoritaire, mais sa position dominante s'effrite progressivement. Pourtant, au cours des années 60, la population portugaise enregistre une exceptionnelle croissance, passant de 50 000 personnes en 1962 à 759 000 en 1975. En 1971, un accord entre les gouvernements français et portugais met progressivement fin à cette filière.

Cette population connaît ensuite une remarquable et rapide intégration. Le creuset français fonctionne et les migrants adoptent peu à peu les valeurs et la culture républicaines. L'école – instrument essentiel –, les sociabilités syndicales et politiques, les pratiques sportives permettent à ces populations de s'insérer, en deux ou trois générations, au sein de la collectivité nationale. La naturalisation est l'aboutissement de ce désir d'intégration. En revanche, l'intégration des populations en provenance d'Afrique du Nord semble plus difficile. Au-delà du rôle de frein joué par les particularismes culturels et religieux, les Algériens, surtout, pâtissent du poids de la guerre d'indépendance. Occupant les emplois les plus bas sur l'échelle sociale, ils sont les premiers frappés par la crise économique. La crispation identitaire qui caractérise toutes les catégories de la population dans les années 90 rend plus difficile encore cette intégration.

Tableau 11
Population étrangère selon la nationalité
(en milliers et [%])

	1954	1962	1968	1975
Européens	1 397 [79]	1 566 [72]	1 876 [72]	2 090 [61]
Belges	107 [6]	79 [4]	65 [3]	56 [2]
Espagnols	289 [16]	442 [20]	607 [23]	497 [15]
Italiens	508 [29]	629 [29]	572 [22]	463 [13]
Polonais	269 [15]	177 [8]	132 [5]	94 [3]
Portugais	20 [1]	50 [2]	296 [11]	759 [22]
Africains	230 [13]	428 [20]	652 [25]	1 192 [35]
Algériens	212 [12]	350 [16]	474 [18]	711 [21]
Marocains	11 [1]	33 [2]	94 [3]	260 [8]

Source : INSEE.

c. De difficiles conditions de vie

Jusqu'aux années 70, la population étrangère est essentiellement masculine, d'âge adulte. Elle compte peu de femmes, d'enfants et de personnes âgées. **L'étranger demeure majoritairement le « travailleur immigré ».**

Cette population déracinée travaille dans l'industrie et elle est constituée d'ouvriers, surtout d'ouvriers spécialisés et de manœuvres. Ils sont les premières victimes des accidents du travail et des maladies professionnelles. Bien plus, cette situation de nouveau prolétariat s'est accentuée depuis 1945.

Ces « oubliés de la société de consommation » (Ralph Schor) occupent des logements insalubres. En 1970, 46 000 étrangers vivent dans les 133 bidonvilles recensés en région parisienne (Abdelmalek Sagad, *Un Nanterre algérien, terre des bidonvilles*, 1995).

B. LE TOURNANT DES ANNÉES 70

a. Une population stabilisée ?

Au recensement de 1975, 3 442 000 étrangers résident sur le territoire national. Ils sont 3 680 000 en 1982 et 3 580 000 en 1990. La stabilité des chiffres masque une immigration permanente

FRANÇAIS DE NAISSANCE
ET FRANÇAIS PAR
ACQUISITION
NÉS EN FRANCE
1982 : 49 420 000
1990 : 51 760 000

**ENSEMBLE
DES FRANÇAIS
1982 : 50 590 000
1990 : 53 050 000**

FRANÇAIS PAR
ACQUISITION
NÉS HORS DE FRANCE
1982 : 1 170 000
1990 : 1 290 000

**ENSEMBLE
DES IMMIGRÉS
1982 : 4 020 000
1990 : 4 130 000**

ÉTRANGERS
NÉS HORS DE FRANCE
1982 : 2 850 000
1990 : 2 840 000

**ENSEMBLE
DES ÉTRANGERS
1982 : 3 680 000
1990 : 3 580 000**

ÉTRANGERS
NÉS EN FRANCE
1982 : 830 000
1990 : 740 000

Source : Ralph Schor, *Histoire de l'immigration en France*, Paris, Armand Colin, 1996.

d'environ 100 000 personnes par an. Un nombre identique d'étrangers acquièrent chaque année la nationalité française. Aussi, la proportion des Français par acquisition enregistre une nette croissance : 2 % de la population nationale en 1945, 2,9 % en 1962 et 3,1 % en 1990. Le nombre des clandestins est évalué entre 300 000 et 500 000 individus et remplit un rôle économique essentiel.

Le nombre de non-Européens ne cesse de croître : 52 % en 1982 et 59 % en 1990. L'Afrique est devenue la première région de provenance. Les Portugais demeurent cependant les plus nombreux (649 714 en 1990) devant les Algériens (614 207) et les Marocains (573 252). Le regroupement familial est à l'origine de la féminisation et du rajeunissement de cette population. Les trois quarts de la population étrangère résident à l'est d'une ligne Le Havre-Sète. L'axe Paris-Lyon-Marseille se renforce aux dépens des anciennes régions industrielles du nord-est.

Depuis la fin des années 70, la capacité du modèle français d'assimilation est remise en cause par certains observateurs. Or, une enquête, menée par l'INSEE en 1992, montre, à partir d'une étude des pratiques linguistiques, matrimoniales et religieuses, que l'assimilation est à l'œuvre. En revanche, un net repli identitaire caractérise la communauté turque. De même, les jeunes d'origine algérienne ont plus de mal à se stabiliser sur le marché du travail.

L'immigré est de plus en plus perçu comme une charge pour la société. Depuis 1990, 40 % des Français se disent régulièrement « plutôt » ou « un peu racistes ». En 1989, 74 % des Français estiment que la France, si elle ne stoppe pas l'immigration, risque de perdre son identité nationale. **Les enquêtes d'opinion révèlent cependant que le racisme est d'abord à fondement social.** La multiplication des actes racistes mobilise depuis le milieu des années 80 des associations (SOS Racisme, MRAP…) et conduit les autorités religieuses, dans leur diversité, à lancer des appels à la fraternité et à la solidarité nationale.

b. Arrêter l'immigration

Depuis 1974, tous les gouvernements mènent une politique qui vise à maîtriser les flux migratoires. Valéry Giscard d'Estaing décide l'arrêt de l'immigration dès le début de son septennat. Aux premières mesures libérales succède, à partir de 1977, une politique plus ferme : suspension de l'immigration familiale, aide au retour et retours forcés. Cette politique, contraire à la tradition française, suscite de vives réactions.

Sous les deux septennats de François Mitterrand, la politique migratoire connaît plusieurs évolutions. Au cours des deux premières années, la gauche donne des signes de sa tolérance, symbolisée entre autres par la régularisation de 132 000 clandestins. De nombreuses mesures visent à faciliter l'intégration. Après 1983, les contrôles et la répression des clandestins se renforcent. L'année suivante, la création d'un titre de séjour de dix ans, renouvelable, répond à une revendication des étrangers. Jusqu'en 1993, tous les gouvernements socialistes suivent une politique prudente qui vise à maîtriser les flux migratoires. Par ailleurs, au début des années 90, les socialistes acceptent la notion d'intégration et rejettent de plus en plus le « droit à la différence » et la perspective d'une « société multiculturelle ». Lors des deux cohabitations, en 1986-1988 et 1993-1995, les gouvernements de droite sont partagés entre la fidélité aux principes républicains et une politique répressive. En 1993-1997, les lois Pasqua-Debré remettent en cause le droit du sol et transforment l'acquisition automatique en un acte volontaire. Les

5

pouvoirs de police sont renforcés et les regroupements familiaux limités. La ferme application du dispositif entraîne une précarité accrue pour les étrangers. Les associations se mobilisent pour dénoncer les atteintes aux droits des étrangers. En août 1996, l'expulsion par les forces de l'ordre des « sans-papiers » de l'église Saint-Bernard soulève une vive émotion.

En 1997, l'objectif du gouvernement Jospin est de stabiliser les immigrés établis en France et d'intégrer ceux qui le souhaitent à la République.

c. Au centre du débat politique

La question de l'immigration pèse lourd dans le débat politique en France. A partir des années 80, le FN, parti d'extrême droite, place l'immigration au centre d'un discours ouvertement xénophobe. Il dénonce « l'invasion », la « colonisation », les « bandes ethniques » et préconise la « préférence nationale ». **L'immigré est le bouc émissaire de tous les maux qui affectent la société, de l'insécurité au chômage.** La politique d'assimilation est considérée comme une impasse susceptible de remettre en cause l'identité nationale.

La montée en puissance électorale du FN conduit les autres formations politiques à se situer par rapport à ses positions. Les partis de la droite parlementaire sont profondément divisés entre une conception humaniste et une clientèle électorale qui ne reste pas insensible aux positions extrémistes. Certaines thématiques, issues de l'extrême droite, sont perceptibles dans les programmes de la droite parlementaire. A ce titre, le RPR et l'UDF contribuent à faire progresser les idées du FN et à renforcer son audience électorale.

L'attitude des partis de gauche n'est pas sans ambiguïté. Si le PS souscrit pour une large part aux politiques mises en œuvre depuis le début des années 70, il reste favorable aux mesures libérales. Cependant, le PS instrumentalise, dès 1984, le FN pour déstabiliser la droite modérée et contribue de la sorte à légitimer le parti dirigé par Jean-Marie Le Pen comme acteur du débat politique. Au début des années 80, certaines municipalités communistes sont le lieu de dérapages qui contrastent avec la tradition internationaliste et anticolonialiste du PCF. Ce dernier exige l'arrêt de l'immigration et privilégie l'intégration des étrangers qui demeurent en France. En 1997, le gouvernement dirigé par le socialiste Lionel Jospin souhaite arriver à un consensus républicain afin de remettre à sa juste place le débat sur l'immigration.

Depuis 1945, l'immigration a assuré 40 % de l'augmentation de la population, en dehors même d'avoir permis l'essor productif de l'économie française. Aujourd'hui, 20 % des personnes nées en France possèdent au moins un parent ou grand-parent ayant immigré au cours du siècle.

Les « trente glorieuses » n'ont pas fait disparaître les conflits sociaux. Ceux-ci perdurent, profondément marqués par l'histoire du mouvement ouvrier, alors même que l'État arbitre s'impose comme régulateur des relations sociales.

A. SOCIALISATION DES CONFLITS

a. Le compromis de la Libération

Le programme du Conseil national de la Résistance (CNR) reçoit l'aval des principaux syndicats pour transformer et moderniser la société. Longtemps tenu à la marge de la société politique française, le mouvement ouvrier, actif dans les combats de la Résistance, enregistre la légalisation des luttes. La Constitution de la IVe République reconnaît l'exercice du droit de grève, la liberté d'association et la liberté syndicale.

Surtout, l'État providence (▶ **chapitre 7**) accorde aux syndicats une place au sein de l'appareil d'État. La gestion paritaire des régimes de la Sécurité sociale atténue l'antagonisme historique entre le capital et le travail. De même, la logique redistributive de cette solidarité en faveur des plus démunis réduit l'espace des conflits.

CFDT : Confédération française démocratique du travail, née en 1964 de la déconfessionnalisation de la CFTC.

CFTC : Confédération française des travailleurs chrétiens, fondée en 1919.

CGC : Confédération générale des cadres, fondée en 1946.

CGT : Confédération générale du travail, fondée en 1895.

CGT-FO : Confédération générale du travail-Force ouvrière, fondée en 1948 par les minoritaires qui dénoncent l'emprise communiste sur la CGT.

CNPF : Conseil national du patronat français, né en 1946.

FEN : Fédération de l'éducation nationale, née en 1947-1948 en gardant son autonomie lors de la scission de la CGT.

FSU : Fédération unitaire de l'enseignement, de l'éducation, de la recherche et de la culture, fondée en 1993 par des exclus de la FEN.

SUD : Solidaires, unitaires, démocratiques, fondé en 1988 par des exclus de la CFDT.

Bien plus, l'État joue un rôle central dans la régulation des conflits. La loi fixe les systèmes de représentation des salariés dans l'entreprise, les salaires minimaux garantis, les classifications hiérarchiques et les conventions collectives. Par ailleurs, la CGT soutient les nationalisations et la mise en place de la planification.

Cette socialisation des conflits est renforcée, à partir des années 60, par l'homogénéisation des pratiques sociales. La croissance de la consommation ouvrière et l'accession progressive des ouvriers à la propriété influent sur la finalité des conflits et sur les représentations collectives. Il s'agit moins de construire un projet alternatif de société que de participer au partage des gains de productivité.

b. Les marques de la guerre froide

Par-delà ces lignes de force, **le poids de la conjoncture politique et idéologique demeure fort.** Passé l'heure de l'épuration et de la reconstruction, les conflits sociaux reprennent, dès le printemps 1947, dans un contexte de pénurie et de hausse des prix. En mai, les ministres communistes, solidaires des revendications, quittent le gouvernement Ramadier. Les difficiles conditions de vie et les fractures idéologiques expliquent l'âpreté des conflits sociaux de 1947 et 1948.

Le paysage syndical reste fragmenté par les clivages religieux et catégoriels. La CGT, au-delà de ses deux principales tendances communisante et socialisante, est traversée par plusieurs courants minoritaires. Amorcé en 1946, le fractionnement aboutit à une scission et à la création de la CGT-FO en 1948. La Fédération de l'éducation nationale choisit l'autonomie et construit des structures mutualistes d'assurance (MAIF, MGEN) et de consommation (CAMIF). Le climat de la guerre froide traverse pour longtemps le mouvement syndical et alimente sa division.

La chute des effectifs touche particulièrement la CGT, subordonnée à la politique du PCF – 3 millions d'adhérents en 1951, 1,6 en 1958 –, alors que FO (500 000 adhérents en 1958) stagne et que seule la CFTC progresse (de 350 000 à 415 000 adhérents de 1952 à 1958). En 1955, le syndicalisme ouvrier ne représente que 15 % des salariés. Les conflits, essentiellement défensifs, perdurent en 1953 dans la fonction publique et en 1955 à Saint-Nazaire. La CGT, marxiste et révolutionnaire, structure toujours le champ social et défend l'idée d'une paupérisation absolue du prolétariat.

B. LE MAI SOCIAL

a. Syndicalisme et Vᵉ République

Les syndicats participent à la manifestation de défense républicaine du 28 mai 1958. Seules la CGT et la FEN s'opposent résolument aux institutions de la Vᵉ République. Peu présents dans le combat contre la guerre d'Indochine – excepté la CGT –, les syndicats s'impliquent davantage dans le processus de paix en Algérie, non sans susciter des fractures au sein des organisations ; les neuf morts de Charonne (8 février 1962) sont des cégétistes.

La fin de la guerre d'Algérie (1962) permet une offensive des syndicats. En 1963, la grève des mineurs ébranle le pouvoir gaulliste et suscite un vaste mouvement de solidarité envers une corporation en déclin.

En 1964, la déconfessionnalisation de la CFDT ouvre la voie à un syndicalisme révolutionnaire qui revendique une évolution du pouvoir au sein des entreprises. Cette posture moderniste est en phase avec la « nouvelle classe ouvrière ». Les minoritaires, restés attachés à la doctrine sociale de l'Église, continuent d'assurer l'existence de la CFTC.

Le blocage social, alimenté par la position conservatrice du patronat, se traduit par l'absence de dialogue social au niveau des entreprises comme à celui des organisations nationales. Pour sortir de l'impasse, la CFDT conclut, en 1966, un accord d'unité d'action avec la CGT, qui revivifie la démarche revendicative.

b. L'explosion de mai 1968

A partir du 13 mai, la crise sociale prend le relais de la crise étudiante. Une vague de grèves paralyse le pays en quinze jours et mobilisent plus de sept millions de grévistes. Spontanées d'abord, encadrées ensuite par les syndicats, ces grèves touchent le secteur public et privé et se caractérisent surtout par des revendications qualitatives qui remettent en cause la hiérarchie et l'organisation du travail au sein des entreprises. **Les « accords de Grenelle » (25-27 mai) répondent par des solutions classiques articulées autour d'une hausse du SMIG et des salaires.** La CGT, hostile aux groupements gauchistes, reste sur une ligne purement revendicative. La CFDT, plus en phase avec les aspirations du mouvement, accorde la priorité au renforcement du pouvoir syndical dans l'entreprise. La base n'accepte pas le résultat des négociations ouvertes par le gouvernement et la grève perdure. La crise continue sur le terrain politique.

Pour Antoine Prost, le bilan est paradoxal : il évoque une « continuité par la révolution ». Les revendications radicales aboutissent à la réalisation d'anciennes propositions. Mai 68 rappelle combien la grève générale, forme de mobilisation susceptible de transformer l'ordre social, demeure centrale dans la culture syndicale française.

c. Les réponses de l'après-mai

Après l'échec du projet gaullien de la participation en 1969, la « nouvelle société » de Jacques Chaban-Delmas, Premier ministre du nouveau président Georges Pompidou, vise à l'apaisement des rapports sociaux. Le SMIC, l'abolition de la rémunération horaire, la formation professionnelle permanente, le renforcement de la contractualisation, l'institutionnalisation des syndicats par la procédure des détachements dans la fonction publique constituent des réformes limitées.

FO joue le jeu de la négociation et de l'entre-deux, refusant le communisme et le cléricalisme moderniste. La CFDT choisit le socialisme autogestionnaire alors que l'extrême gauche de l'organisation renforce ses positions au début des années 70. La CGT s'ouvre, rajeunit ses cadres et renouvelle ses pratiques. Elle soutient le programme commun passé entre le PCF, le PS et le MRG en 1972.

L'après-mai se traduit aussi par la multiplication des conflits sociaux dont certains, comme Lip à Besançon, deviennent emblématiques. Les gauchistes colorent ces luttes mais leurs actions, contrairement à la RFA ou à l'Italie, ne débouchent pas sur le terrorisme.

d. Le temps de la crise économique

Le septennat de Valéry Giscard d'Estaing est contemporain d'une crise profonde des structures économiques. Le patronat refuse la réforme de l'entreprise proposée par le rapport Sudreau (1975). Le CNPF préconise des politiques sociales autonomes des entreprises afin de s'affranchir des conventions collectives. En préconisant l'individualisation des salaires et de la gestion des personnels, l'offensive patronale vise à affaiblir le champ d'action des syndicats. Face au mouvement syndical, les gouvernements Chirac, puis Barre adoptent des positions fermes.

La fin du plein-emploi se traduit par la multiplication des grèves défensives qui touchent les PTT (1974), Renault (1975), la presse (1975-1977), la RATP (1977) et la sidérurgie (1979). L'unité d'action entre la CGT et la CFDT se délite progressivement. En 1980, les divergences entre une CFDT réformiste, recentrée, et une CGT restée alignée sur le PCF, conduisent à la rupture.

C. L'ÉTREINTE MORTELLE

a. Crise du syndicalisme

En 1981, l'arrivée de la gauche au pouvoir est lourde de conséquences pour le mouvement syndical. Les lois Auroux, inspirées des positions de la CFDT, accroissent la socialisation des conflits par l'obligation annuelle de négocier dans l'entreprise.

Après le tournant de la rigueur (1983), la CFDT continue de soutenir le gouvernement, non sans critique, alors que la CGT hésite entre une logique revendicative et le soutien à l'expérience socialiste, avant d'accentuer ses critiques envers le gouvernement Fabius (1984-1986). Cette « étreinte mortelle » (René Mouriaux) se matérialise par une crise du syndicalisme : professionnalisation accentuée des cadres coupés de la base, affaiblissement numérique général, crise financière couverte par des subventions étatiques, affaissement de la capacité de mobilisation, mauvaise image dans l'opinion publique, apparition de coordinations.

La défense de l'emploi devient la priorité et réduit l'ambition revendicative des syndicats dans les domaines de l'écologie, du féminisme et de la défense des immigrés. La grève change de statut : elle traduit une demande d'État et une individualisation des sources de la mobilisation collective. **Le syndicat est de plus en plus une instance de gestion des règles.**

Au début des années 90, la tentative de recomposition du paysage syndical, portée par la FEN et la CFDT, est un échec qui se solde notamment par l'éclatement de la FEN et des exclusions au sein de la CFDT. A partir de 1989, FO, longtemps partenaire privilégié de l'État et du patronat, choisit un syndicalisme de contestation.

b. De nouveaux types de conflits

Le milieu des années 80 voit apparaître des conflits sociaux qui échappent pour une part à la médiation traditionnelle des syndicats. Des mobilisations collectives, organisées par la base sous la forme de coordinations, sans utopie explicite, sans programme articulé et sans enjeux directement politiques sont perceptibles : mouvements des étudiants en 1986, des infirmières en 1988 et des lycéens en 1994.

De plus, on assiste à un déclin relatif des conflits du travail et à l'émergence de « communautés de luttes » (Guy Groux) contre l'exclusion dans les banlieues ou pour la défense des minorités sexuelles.

c. Le « grand refus »

En novembre-décembre 1995, l'annonce de mesures générales (réformes de la Sécurité sociale) et spécifiques (régimes de retraite particuliers, contrat de plan de la SNCF) par le gouvernement Juppé suscite un large mouvement social dans le secteur public. L'ampleur des manifestations, la mobilisation des intellectuels et le soutien de l'opinion publique caractérisent la plus grave crise sociale que le pays ait connu depuis 1968.

Quel(s) sens donner à cette lutte ? Les sociologues pointent *Le Grand Refus* (Alain Touraine *et al*, 1996). Par temps de vide politique, ce mouvement juxtapose une résistance à la modernisation d'un ordre social et culturel, la contestation d'un pouvoir technocratique et la revendication de la démocratie, la défense de catégories sociales fortement ébranlées par la crise.

d. Une nouvelle donne ?

La crise sociale de 1995 accélère la recomposition du paysage syndical. Un courant réformiste, favorable au dialogue social (CFDT, FEN, CGC, CFTC) se dessine face à un courant plus contestataire qui privilégie les luttes sociales et la préservation des acquis (CGT, FO, FSU, SUD). De plus, la CFDT, grâce à l'arbitrage patronal, succède à FO à la présidence de plusieurs caisses du régime général de la Sécurité sociale. Les divisions entre, et au sein même, des organisations se sont multipliées.

La crise syndicale perdure. Les effectifs syndiqués continuent de décroître – trois syndiqués sur dix salariés en 1975, un sur dix en 1995 –, se concentrent essentiellement dans le secteur public ; le vieillissement est net ; la participation aux élections professionnelles s'effrite.

Aussi, la faiblesse numérique et la division, caractéristiques historiques du syndicalisme français, se confirment.

En France, l'État assure, depuis toujours, une présence active et lourde. Après 1945, l'État providence se construit avant de connaître, à partir des années 70, de multiples remises en cause.

A. L'ÉTAT « ASSURANTIEL »

a. La Sécurité sociale pour tous

Au sortir de la guerre, l'État apparaît comme le garant et le promoteur d'une nécessaire cohésion sociale qui passe, en premier lieu, par une meilleure justice sociale. Sur ce point, un consensus politique réunit communistes, socialistes, gaullistes et démocrates-chrétiens. **L'instauration du système de la Sécurité sociale, en 1945-1946, repose sur une amélioration qualitative et une uniformisation de la protection sociale.** Ce régime couvre les risques maladie, vieillesse, maternité, accident du travail et invalidité.

La rupture est aussi culturelle dans le sens où la notion de droits sociaux prime sur celle d'assurance obligatoire. La Constitution de la IVe République enregistre cette mutation : « La nation assure à l'individu et à la famille les conditions nécessaires à leur développement. Elle garantit à tous, notamment à l'enfant, à la mère et aux vieux travailleurs, la protection de la santé, la sécurité matérielle, le repos et les loisirs. Tout être qui, en raison de son âge, de son état physique ou mental, de la situation économique, se trouve dans l'incapacité de travailler a le droit d'obtenir de la collectivité des moyens convenables d'existence. »

La question du chômage demeure traitée sous la forme d'une assistance chômage jusqu'à la création, en 1958, d'**un système d'assurance chômage**, négocié entre le patronat et les syndicats et qui donne naissance à des Associations pour l'emploi dans l'industrie et le commerce (ASSEDIC).

b. Des principes à la réalité

L'État organise et rationalise un système, mais en laisse la responsabilité aux intéressés. La gestion est paritaire entre représentants du patronat et des syndicats de salariés. Le financement repose essentiellement sur des cotisations patronales et salariales. L'État participe au financement des régimes déficitaires. De nombreux régimes spéciaux – cadres, mineurs, cheminots, militaires, agriculteurs, commerçants… – subsistent à côté du régime général. L'unité de la caisse est aussi remise en cause. En 1949, l'autonomie de la Caisse d'allocations familiales est consacrée. De plus, l'universalisation est longue à se matérialiser : en 1953, 25,3 % des Français ne bénéficient toujours pas de la Sécurité sociale, 4,4 % en 1970 et 0,8 % en 1980.

c. L'impact sur la société

Cette Sécurité sociale a grandement contribué à l'amélioration sanitaire du pays. De plus, les transferts financiers liés aux régimes sociaux participent de l'augmentation du niveau de vie des ménages. Le cas des retraités est exemplaire : à partir des années 60, retraite n'est plus synonyme de pauvreté.

Tableau 12	
Part des prestations sociales dans le revenu disponible des ménages (en %)	
1949	15,1
1970	24,7

De 1965 à 1975, la croissance des prestations sociales, plus forte que celle des cotisations, permet une correction des inégalités économiques en favorisant les catégories les plus modestes. Cette redistribution alimente la soif de consommation des plus nombreux (▶ **chapitre 10**).

B. REMISES EN CAUSE

a. Idéologiques

Jusqu'aux années 70, cet État protecteur, considéré comme le garant de la croissance économique et du progrès social, bénéficie d'un remarquable consensus social et politique. Cette configuration se dégrade ensuite au nom d'une double critique : **l'inefficacité et la prégnance excessive de l'État.**

En 1981, la victoire de la gauche marque un renouveau de l'État providence, bien vite remis en cause avec la politique de rigueur instaurée dès 1983. La compression des dépenses sociales s'accompagne d'un effacement des repères idéologiques. La déontologie du service public et le primat de l'intérêt général s'estompent dans un contexte intellectuel marqué par le néolibéralisme.

b. Économiques et financières

7

Les années 90 enregistrent un déclin des capacités d'inter-ventions économiques de l'État – fragilisation de la planification, privatisation du secteur public économique et déré-glementation –, alors même que la fin du plein-emploi et l'exclusion durable remettent en cause l'avenir du système de protection sociale. Les taux des prélèvements obligatoires sont considérés comme excessifs. Dès lors, le déficit de la Sécurité sociale devient un thème récurrent de la vie publique. La maî-trise des dépenses et la recherche de financements complémen-taires s'imposent aux gouvernements successifs, de gauche comme de droite.

Tableau 13
Dépenses et prestations sociales (en %)

	1981	1988	1994
Protection sociale (% PIB)	29,6	31,8	35,3
Prestations sociales (% PIB)	22,1	23,3	25,2
Santé	28,2	27,9	27,2
Vieillesse	49,6	50,7	50,1
Familles	14,7	13,7	12,7
Emploi	7,2	7,4	8,5

Source : *L'État de la France*, Paris, Éd. de La Découverte, 1997.

La création de la contribution sociale généralisée (CSG) en 1991 et celle de la contribution pour le remboursement de la dette sociale (CRDS) en 1996 illustrent la tendance à une fiscalisation plus grande des ressources de la Sécurité sociale.

c. Un nouveau modèle ?

L'enjeu croise celui de la place de l'État dans la société française. La logique « assurantielle » est ébranlée et la solidarité devient la thématique dominante. En 1994, le rapport Minc suscite un vif débat. Des actions ciblées en direction des plus défavorisés, voire des discriminations positives, traduisent le remplacement de l'égalité par « l'équité ». Cette conception est éloignée des fondements de la Sécurité sociale et rappelle la politique des pauvres et de la santé publique du XIXᵉ siècle.

A l'automne 1995, le plan Juppé de réforme de la Sécurité sociale, qui repose sur la mise en place d'un système contractuel et une contrainte budgétaire renforcée, suscite un mouvement social dans le secteur public (▶ chapitre 6).

L'État providence permet une régulation économique et une redistribution de la richesse nationale qui marquent la société française depuis 1945. **Les mouvements sociaux de 1995 montrent à la fois l'attachement de la population à cette situation et l'absence du compromis social nécessaire à sa survie.**

Vingt ans après la Libération, le pays est économiquement reconstruit, le régime politique consolidé (1958 : début de la Vᵉ République ; 1965 : première élection du président de la République au suffrage universel), la paix règne depuis la fin de la guerre d'Algérie et de la décolonisation (1962).

En 1965 débute ce que le sociologue Henri Mendras a proposé d'appeler « la seconde révolution française ». **Ce tournant touche à la fois les comportements, les croyances et les cadres socioculturels.** La crise de Mai 1968 traduit alors symboliquement cette transformation à l'œuvre.

A. DE NOUVEAUX COMPORTEMENTS

a. Les inflexions démographiques

Le milieu des années 60 est considéré comme une charnière pour les démographes. La chute de la fécondité traduit la fin du *baby-boom* (▶ **chapitre 1**).

Sur la longue durée, le *baby-boom*, phénomène général au monde occidental, apparaît comme une parenthèse au sein d'une baisse séculaire de la fécondité.

b. L'émancipation en marche

Le milieu des années 60 enregistre les premières matérialisations de l'émancipation des femmes. Une loi modifie les régimes matrimoniaux (1965) alors que le nombre des divorces augmente sensiblement (▶ **chapitre 3**).

En 1965, il y a, pour la première fois, plus de filles que de garçons reçus au baccalauréat. L'agenda politique enregistre les mutations en cours. Lors de la campagne des élections présidentielles de 1965, François Mitterrand propose l'abrogation de la loi de 1920 qui interdit l'avortement.

c. Une société plus permissive

Le basculement des valeurs est indéniable et se diffuse progressivement à l'ensemble de la société. L'hédonisme et l'individualisme sont bien les valeurs montantes et tendent à remplacer l'éthique du travail, le rigorisme, la discipline, le puritanisme de la société d'avant-guerre. Si la mutation est désormais claire, des pôles de résistance, au fonctionnement générationnel, perdurent.

Le nu apparaît dans les magazines et les films. Le vêtement s'enhardit et laisse voir les corps. La mode enregistre la mutation : en 1965, la collection Courrèges, très courte et colorée, exprime le temps présent et renvoie Chanel du côté de la tradition.

En 1965, les étudiants de la résidence d'Antony dénoncent un règlement qui interdit la libre circulation entre les bâtiments des garçons et des filles. Sur le campus de Nanterre, qui ouvre ses portes la même année, cette liberté sexuelle revendiquée par les étudiants de la cité universitaire est à l'origine, en janvier-février 1968, du mouvement de mai.

B. DE NOUVELLES CROYANCES

a. L'Église et son temps : Vatican II

Ouvert par Jean XXIII en 1962, le concile de Vatican II termine ses travaux en décembre 1965 et impose une véritable mise à jour (*aggiornamento*) à l'Église : refonte doctrinale, reconnaissance de la liberté religieuse, réforme liturgique, ouverture au monde. En France, les turbulences postconciliaires sont précoces et fortes. A un courant progressiste, coloré par le marxisme, qui souhaite dépasser le concile, s'oppose un courant traditionaliste mené par Mgr Lefebvre. Pourtant, la majorité des catholiques français refusent la rupture et reçoivent le concile dans la continuité d'une tradition. La crise du catholicisme des années 60-70 fera lire Vatican II comme une espérance déçue.

b. Une crise des références culturelles

L'humanisme est fortement contesté : au sein des sciences humaines, les lectures structuralistes triomphent avec Louis Althusser, Michel Foucault et Jacques Lacan.

Pierre Bourdieu dissèque les mécanismes culturels de la reproduction sociale (*Les Héritiers*, 1964), avant de s'attaquer au mirage de la démocratisation culturelle (*L'Amour de l'art*, 1966). L'ère du soupçon s'ouvre et affaiblit les fondements d'une action culturelle volontariste, portée par les réseaux militants de l'éducation populaire et les pouvoirs publics.

C. DES RUPTURES SOCIOCULTURELLES

a. Éducation populaire et animation

Les années 60 enregistrent le déclin des valeurs et des méthodes des mouvements d'éducation populaire. Si l'humanisme, l'éthique de l'engagement et de la responsabilité, la volonté de démocratisation perdurent plus ou moins, l'heure est à la restauration de la communication sociale au sein de la société urbaine plutôt qu'à la popularisation de la raison.

L'animation, bientôt qualifiée de socioculturelle, est à la fois une version aseptisée de l'éducation populaire, qui efface les références politiques et religieuses, et une professionnalisation de celle-ci. La formation des animateurs est la priorité. En charge des équipements contrôlés par les municipalités, **l'animation ouvre sur la territorialisation et le pluralisme culturel.**

b. La fin du désert culturel

« La hideuse province » (André Malraux, 1966) s'estompe et s'offre, avec l'aide de l'État, quelques maisons de la culture. Le festival Sigma (1965) de Bordeaux s'ouvre aux avant-gardes. De Saint-Denis à Aubervilliers, le théâtre s'implante en banlieue. Cependant, pour les plus nombreux, le théâtre demeure de boulevard, celui de la populaire émission de la première chaîne de télévision *Au théâtre ce soir* (1966).

A partir de 1964, les Rencontres d'Avignon, qui réunissent militants, élus, administrateurs, et artistes, consacrent les politiques culturelles pionnières menées à Annecy, Grenoble et Rennes. En 1967, Roger Planchon y proclame le pouvoir aux créateurs. L'ère du créateur roi s'annonce et estompe le théâtre service public ; celui que Jean Vilar – il quitte le Théâtre national populaire (TNP) en 1963 – avait incarné.

c. La ronde des objets

Couronné par le prix Renaudot en 1965, *Les Choses* de Georges Perec devient le roman emblématique de la société de consommation.

La figure du consommateur moderne s'impose. Deux ou trois décennies après les États-Unis, la France se lance dans la ronde des objets (▶ **chapitre 10**). **La généralisation progressive du « confort moderne » suscite une culture du bien-être.**

d. Quatre garçons dans le vent

Le public français reconnaît avec retard la révolution *pop*. En 1965, les Beatles triomphent à la porte de Versailles. La « *beatlesmania* » qui déferle traduit aussi le succès des industries culturelles. Après le *rock'n roll* américain des années 50, la déferlante *pop*, surtout sensible pendant la décennie 70, confirme l'internationalisation de la scène musicale française.

D. INTERPRÉTATIONS DE MAI

a. De la crise étudiante à la crise politique

Les interprétations du mai français sont nombreuses, proposées dès le lendemain d'une crise à la fois sociale (▶ **chapitre 6**) et politique. Il convient d'interroger la portée d'une crise multiforme, issue du monde étudiant (mars-avril), élargie au monde du travail (mi-mai), bientôt politique après le rejet des accords de Grenelle par les salariés (27 mai). Les législatives de juin offrent une sortie politique au pouvoir gaulliste.

b. Révolution ?

Certains observateurs ont évoqué le caractère révolutionnaire de Mai 68 : combat contre le capitalisme (Alain Touraine), utopie vécue, porteuse de mutations futures (Edgar Morin), « comédie burlesque » pour Raymond Aron. Avec le recul, une contestation de la société semble primer sur une remise en cause plus radicale ; **une crise d'ajustement en somme.**

Une révolution culturelle réussie, plus sûrement, qui se concrétise par une politisation des acteurs culturels, une radicalisation des créations, un renouveau des utopies. L'essentiel est dans la capacité de récupération et d'appropriation dont a su faire preuve la société ; de la « nouvelle société » de Jacques Chaban-Delmas au programme commun de la gauche.

c. Révélateur et catalyseur

Pour Henri Mendras, Mai 68 révèle les transformations amorcées trois ans plus tôt. L'idéologique et le symbolique viennent conforter les mutations sociales. Jean-François Sirinelli souligne le rôle de catalyseur et d'accélérateur joué par la crise : « La secousse de 1968 rendit béant le fossé entre la société née des "trente glorieuses" et le système de normes et de valeurs encore largement hérité de la France d'avant 1945. »

Lors de ces années charnières, une certaine France s'estompe et laisse la place à une société plus souple et ouverte. Ces mutations ne sont guère entravées par la crise économique qui marque le début des années 70. Bien plus, l'accélération des tendances observées précédemment est le plus souvent identifiable.

La France, à l'image des autres pays de l'Europe latine, est un pays de tradition catholique où la réforme protestante a échoué. Jusqu'à la loi de séparation (1905), l'Église catholique bénéficiait d'un poids institutionnel considérable dans la vie politique.

A. SÉCULARISATION

a. Le déclin des pratiques

En 1943, la publication de *France, pays de mission ?* des abbés Godin et Daniel révèle le déclin des pratiques religieuses et interroge la survivance d'une France, terre de chrétienté. **L'évolution n'est pas linéaire** : flux des pratiques de la Révolution jusque vers 1860, reflux jusqu'au lendemain de la séparation, flux jusqu'aux années 50-60, grand reflux dans les années 60.

Si quatre Français sur cinq continuent à se dire catholiques, les formes de la pratique ont fortement évolué : réduction des présents à la messe dominicale (24 % de la population en 1955, 20 % en 1970, 10 % en 1995), déclin de la communion pascale, quasi-disparition de la confession. **Le pays est devenu une nation catholique peuplée d'agnostiques.** Seul le culte des morts résiste. Les contrastes régionaux, longtemps prégnants, s'estompent. Le catholicisme vécu est aujourd'hui un choix individuel relevant de la conscience, détaché d'un bloc de croyances et d'attitudes, relativement autonome vis-à-vis des directives morales du magistère.

b. L'Église catholique : une institution en crise

L'ébranlement de l'institution ecclésiale a précédé ce déclin des pratiques. Dès les années 50, plusieurs signes en sont la traduction : arrêt de l'expérience des prêtres-ouvriers, tensions avec Rome, conflits issus de la décolonisation et de la guerre d'Algérie. La crise des vocations sacerdotales, perceptible dès le début du siècle, s'accélère après 1965. De 1965 à 1985, le nombre total de prêtres et de religieux est passé de 65 000 à 43 000. Les conséquences de cette perte d'effectifs sont confortées par le déclin des ordinations (250 en 1970, 100 vers 1980) et le vieillissement accéléré du clergé. L'encadrement des fidèles est devenu problématique. Le recul de la catéchèse confirme la sécularisation croissante de la société française. La dissociation entre le légal et le moral est acquise. Le fait religieux est marginalisé dans la vie quotidienne.

c. Vers le pluralisme politique

Pendant des décennies, la corrélation entre la pratique religieuse catholique et le vote conservateur a perduré. Depuis la Révolution française, la France catholique (le Nord, l'Ouest, la bordure orientale du Massif central) garde sa fidélité à la droite. Au lendemain de la Libération, l'échec du Mouvement républicain populaire (MRP), parti démocrate-chrétien marqué par les idéaux de la Résistance, conforte cette tendance ancienne.

Cependant, depuis les années 60, le pluralisme des comportements contribue à diminuer la distinction entre les catholiques et les autres citoyens. Le mendésisme, puis le socialisme rénové attirent des catholiques, certes minoritaires. Lors des élections présidentielles de 1995, si les catholiques pratiquants accordent très majoritairement leurs voix aux candidats conservateurs, 35 % des non-pratiquants votent pour les candidats de gauche et écologistes.

B. UNE FRANCE PLURICONFESSIONNELLE

a. L'islam, deuxième religion de France

Les vagues successives de migrants ont toujours influé sur la carte religieuse du pays. Jusqu'au milieu du siècle, Belges, Italiens, Polonais et Espagnols renforcent le catholicisme majoritaire. A partir des années 60, l'immigration nord-africaine conduit à la constitution d'une forte communauté musulmane qui fait aujourd'hui de l'islam, avec 3 à 4 millions de fidèles théoriques, la deuxième religion du pays. Les lieux de culte se sont multipliés passant de 438 en 1983 à près de 1 200 en 1994. Très divers par l'origine de ses fidèles et ses pratiques, l'islam connaît les mêmes inflexions que les autres confessions : croissance de l'indifférence religieuse, recul des rites sociaux liés à la religion. A la fin des années 80, l'affaire du « foulard islamique » fait ressurgir la question de la laïcité scolaire, et plus largement la laïcité de l'État. Une nouvelle laïcité définie, non plus comme un refus du confessionnel mais comme la libre expression de chacun, est en débat.

b. Le protestantisme

Les branches du protestantisme sont confrontées aux mêmes mutations que le catholicisme. Le maintien depuis un siècle du nombre des fidèles (environ 850 000 personnes, soit 1,5 % des

Français) traduit aussi un lent effritement au sein de la population française. Un cercle plus large (de 4 à 6 % des Français) se déclare cependant proche du protestantisme.

Le protestantisme français reste divers – les tentatives d'unité entre réformés et luthériens ont échoué après 1968 – et l'opposition entre « progressistes » et « évangéliques » traverse chaque confession. L'inscription géographique perdure : réformés du Midi, luthériens en Alsace et dans le Doubs, évangéliques plus dispersés. La qualité de minorité chrétienne marque le quotidien par l'importance des mariages mixtes, la dissémination géographique et la faible visibilité sociale. Les valeurs du protestantisme ont cependant facilité l'intégration dans la société française et ont conduit les protestants à participer activement à la construction d'une démocratie laïque en France.

c. Un renouveau du judaïsme

Avant la guerre 1939-1945 et la Shoa – moins de 2 500 « déportés raciaux » sur les 78 000 partant de France revinrent des camps d'extermination nazis –, la plupart des juifs français suivaient une logique d'assimilation à la culture française. Après 1945, la renaissance spirituelle de la communauté juive bénéficie du renouveau de la pensée juive (Emmanuel Lévinas, André Neher), de l'essor des mouvements de jeunesse et de la création de l'État d'Israël. La communauté juive s'est transformée par l'arrivée dans les années 60 de 300 000 juifs originaires d'Afrique du Nord. Forte de ses traditions, la communauté séfarade contribue à la renaissance d'une culture juive spécifique. Ce renouveau du judaïsme n'implique pas toujours un retour au religieux : la découverte de la Shoa, l'étude du yiddish et de l'histoire juive traduisent aussi un refus de l'acculturation. La répartition géographique de cette communauté de 550 000 âmes, la troisième de la Diaspora, demeure stable depuis les années 60 : la région parisienne (55 %), les rives méditerranéennes (15 %) et le grand Est (15 %). Ce renouveau ne parvient pas à combattre l'érosion de la pratique religieuse.

C. RENOUVEAUX RELIGIEUX

a. Du conformisme au militantisme

Moins liée qu'autrefois à un conformisme social, évolution plus précoce en milieu urbain que dans le monde rural, la pratique religieuse est le fait d'une minorité agissante, souvent caractéri-sée par un actif militantisme. Dans les années 50 et 60, l'Action catholique spécialisée – notamment la Jeunesse agricole catho-lique (JAC) en milieu rural – et le syndicalisme chrétien (CFTC, CFDT née en 1964) ont participé à la modernisation de l'écono-mie et à l'affirmation d'une démocratie sociale. Dans les années 70 et 80, l'engagement social se manifeste sous d'autres formes : Secours catholique, Comité catholique contre la faim et pour le développement, CIMADE, ATD Quart Monde, Action des chrétiens pour l'abolition de la torture…

b. Renouveaux spirituels

Les années 80 enregistrent une resurgence du mysticisme. La croissance du mouvement charismatique, bien acceptée par la hiérarchie catholique, traduit le succès d'une religiosité davan-tage tournée vers un culte de louange et d'adoration. Au milieu des années 90, le renouveau de la prière se lit dans le succès édi-torial des revues *Prier* (70 000 exemplaires) et *Prions en église* (400 000 exemplaires). La communauté de Taizé a su, depuis sa fondation en 1940, rayonner auprès de la jeunesse française et européenne. Les rencontres de jeunes qu'elle organise réunis-sent plusieurs centaines de milliers de jeunes, dans un esprit œcuménique.

c. La tentation intégriste

L'intégrisme touche l'ensemble des religions et enregistre un regain certain depuis les années 70 : le traditionalisme catho-lique de Mgr Lefebvre conduit au schisme avec Rome en 1988 ; en 1976 la publication de la *Lettre aux Églises*, de Pierre Chaunu et François Bluche, traduit la résurgence d'un intégrisme pro-testant ; les tenants de la stricte observance sont présents dans les mouvements néo-hassidiques (les Loubavitch) et au sein du courant orthodoxe du judaïsme ; le fondamentalisme islamique revendique une interprétation étroite de la loi islamique.

d. La présence sectaire

La montée en puissance de nouvelles religiosités se manifeste aussi par l'activisme des sectes. Venues d'Orient par le relais américain, elles s'établissent en France, surtout après 1968 : les Témoins de Jéhovah, les Enfants de Dieu, la secte Moon, la méditation transcendantale ou encore l'Église de scientologie. En 1983, le rapport Vivien témoigne de la prise en compte du phénomène par les pouvoirs publics. Il recense 116 groupes

9

dont 48 issus de la mouvance orientale, 45 ésotériques et 23 divers, qui influencent près de 500 000 Français. Par ailleurs, ces groupes diffusent largement leur message grâce à l'utilisation des médias écrits, audiovisuels et électroniques.

Bien que fortement sécularisée, la société française demeure marquée par quinze siècles de catholicisme. La religion est aujourd'hui un phénomène essentiellement culturel : le débat récurrent sur la place de l'histoire des religions dans l'enseignement en porte témoignage. **L'enjeu est la place des religions dans une société pluraliste et multiculturelle.**

LA SOCIÉTÉ DE CONSOMMATION

Sur le long terme, la croissance de la consommation des ménages des années 50 traduit une importante rupture.

Tableau 14 **Estimation des taux de croissance annuels de la consommation des ménages** (en %)	
1800-1850	1,0
1850-1900	2,5
1900-1913	2,5
1923-1929	4,5
1929-1939	– 11,1
1950-1960	4,6

Source : Robert Rochefort, *La Société des consommateurs*, Paris, Odile Jacob, 1995.

Si le temps des restrictions perdure jusqu'en 1949, la croissance est ensuite fortement corrélée à l'essor économique.

Tableau 15 **Production industrielle, richesse et consommation** (en indice)				
	1949	1954	1958	1965
Prod. ind.	57	74	100	141
PNB/tête	71	87	100	132
Consom./tête	71	87	100	130

Source : Jean-Pierre Rioux, *La France de la Quatrième République*, t. 2, Paris, Éd. du Seuil, 1983.

A. LE TEMPS DE L'ÉQUIPEMENT

a. L'équipement du foyer d'abord

De 1950 à 1968, le niveau de vie des familles est multiplié par deux et le volume des biens et des services par 2,5. Très rapidement, l'état de pénurie s'efface devant une situation d'abondance qui bénéficie au plus grand nombre. La consommation progresse comme jamais au cours des siècles passés. Le rythme

Tableau 16
Consommation annuelle par ménage
(en %)

	1949	1959	1969	1979	1985
Alimentation	42	38	37	30	28
Habillement	14	13	10	9	7
Habitation	15	16	18	28	31
Hygiène	7	9	8	7	8
Transports	6	7	12	16	17
Loisirs	7	8	6	8	7
Divers	9	9	9	2	2

Source : INSEE.

annuel de 4,6 % pendant les années 50 se maintient la décennie suivante, et atteint même 4,9 %.

La structure de cette consommation se modifie. Les besoins primaires (alimentation et habillement) se réduisent, tout en enregistrant une amélioration qualitative, et permettent l'émergence de nouvelles dépenses. La part des loyers, des transports et des dépenses de santé progresse de manière significative. L'amélioration, quantitative et qualitative, des logements rend possible une culture de l'intimité familiale.

L'équipement du foyer, en appareils ménagers surtout, s'impose et facilite les tâches quotidiennes. L'aspirateur, la machine à laver et le réfrigérateur sont synonymes de mieux-être. En chiffre absolu, les dépenses de culture et de loisirs amorcent leur croissance (42 % entre 1950 et 1957), que l'automobile contribue encore à masquer.

b. Ensuite, la « bagnole »

Après le confort du foyer, l'automobile symbolise ces années d'équipement des ménages. La 4 CV (1947), la 4 L (1961), puis la R 5 (1972) de Renault, la 2 CV (1948) de Citroën équipent les ménages populaires. La Citroën DS, événement du Salon de 1954, est élevée au rang des *Mythologies* par Roland Barthes (1957). L'accès généralisé à l'automobile (21 % des ménages équipés en 1953, 75 % en 1988) induit d'importants changements dans le mode de vie, dans les conditions de travail comme de loisirs.

De nouvelles valeurs accompagnent et alimentent ces tendances. Le crédit à la consommation estompe le modèle de l'épargne. L'endettement, facilité par ces temps d'inflation, est indispensable pour acquérir ces biens durables. Les circuits de distribution évoluent ; l'hypermarché (premier Carrefour en 1963) est un puissant facteur de démocratisation de la consommation.

Encore que largement partagée, la consommation demeure socialement inégale. Bien plus, elle permet une plus-value culturelle qui redouble l'inégalité économique, alors même que les médias et la réclame, devenue publicité dans les années 60, construisent un modèle pour toute la société. Si la culture des classes sociales reste forte, la diffusion par imitation joue le rôle d'ascenseur social. En 1969, nos *50 millions de consommateurs* (le premier numéro de la revue sort des presses à cette date) sont partagés entre satisfaction et frustration.

c. Critiques et représentations

Cet indiscutable mieux-être est pourtant vivement remis en cause. Les critiques marxistes (Henri Lefebvre) et catholiques (revue *Esprit*) conjuguent leurs effets et réprouvent l'aliénation et l'asservissement de l'individu. Jean Baudrillard (*Le Système des objets*, 1968 et *La Société de consommation*, 1970) dénonce le nouveau grand mythe moderne et l'homogénéisation des comportements.

De même, de 1956 à 1974, tous les sondages d'opinion soulignent que seule une minorité de Français a conscience de l'amélioration du niveau de vie. L'inégal partage de ce mieux-être, une consommation de plus en plus individualiste et intériorisée, l'inquiétude quant à ses usages expliquent cette représentation dominante.

B. LE TEMPS DE L'INDIVIDUALISME

a. La saturation du marché ?

Au début des années 70, l'équipement des ménages en automobiles, en machines à laver, en réfrigérateurs et en télévisions est proche de la saturation. L'innovation seule semble pouvoir l'éviter : tel est le cas pour la télévision couleur dans les années 70, le magnétoscope au cours de la décennie suivante et le multimédia au milieu des années 90. Cependant, les appareils

Tableau 17 Taux d'équipement des ménages (en %)				
	1960	1970	1980	1994
Automobile	30,0	57,6	69,3	78,5
Lave-linge	24,8	56,9	79,5	89,4
Téléphone	–	14,9	66,3	95,5
Télévision	12,6	70,4	90,1	94,8
Lave-vaisselle	–	2,4	16,6	35,3

Source : INSEE.

ménagers apparus plus récemment sur le marché se sont diffusés moins rapidement.

De plus, les valeurs plus permissives issues de Mai 68, l'épuisement du fordisme et du taylorisme, l'apparition de modes de production offrant une grande flexibilité suscitent de nouvelles pratiques de consommation.

b. Consommer, toujours

La crise économique n'affecte que partiellement la croissance annuelle de la consommation. Celle-ci reste vigoureuse jusqu'en 1979 (+ 3,8 % par an), s'infléchit jusqu'en 1984 (+ 1,7 %). Pendant la première moitié des années 80, la baisse du taux d'épargne des ménages soutient la consommation. Surtout, la croissance de la constellation centrale (▶ chapitre 2) suscite de nouveaux modes de consommation.

c. L'individu d'abord

Les années 70 et 80 sont celles de l'épanouissement des aspirations individuelles. En dépassant l'équipement semi-collectif des ménages, une consommation individualisée, extrêmement différenciée et volontiers ostentatoire, évite la saturation annoncée du marché des biens durables.

L'équipement de la personne et la satisfaction des besoins individuels alimentent la croissance de la consommation. Le marketing et la publicité accompagnent et renforcent cette mutation. Chaînes hi-fi, télévisions, baladeurs se multiplient au sein d'une même famille et répondent à des usages différenciés. Les pratiques alimentaires enregistrent également cette individualisation.

La multimotorisation progresse, mais reste cependant liée aux revenus et ne répond pas seulement à un critère de fonctionnalité. Les constructeurs automobiles s'adaptent, différencient les modèles et les campagnes publicitaires s'ajustent à ce nouveau paramètre.

d. Une consommation de crise

Au début des années 90, la guerre du Golfe et l'aggravation de la crise économique entraînent une panne de la consommation qui se traduit par l'arrêt des consommations ostentatoires au profit d'une consommation utilitaire. Ce changement imprévu des comportements des consommateurs se maintient jusqu'en 1997. Inquiets face à l'avenir, les consommateurs recherchent une plus grande sécurité. Une « consommation de rassurance » (Robert Rochefort, *La Société des consommateurs*, 1995) se développe. La santé, l'écologie, le terroir, voire la solidarité illustrent une consommation où la dimension immatérielle domine.

Le consommateur reste multiple. Les retraités, dont le niveau de vie a progressé depuis les années 80, suscitent une consommation spécifique. En revanche, la pauvreté conduit à une sous-consommation. La multiplication des hypermarchés de *hard-discount* – en 1994, il s'en est ouvert au moins un par jour – traduit la réponse des distributeurs à l'évolution du marché. Les modalités de la consommation contribuent aux pratiques qui fondent l'exclusion.

La société de consommation apparaît rétrospectivement comme l'un des miracles des « trente glorieuses », rendue possible par la formidable **transformation du niveau de vie.** La crise n'a pas mis fin à des pratiques qui se transforment tout en confortant leur emprise sur les modes de vie.

En 1962, Joffre Dumazedier s'interroge dans *Vers une civilisation du loisir ?* sur les multiples questions sociales engendrées par l'extension des loisirs. Vingt-six ans plus tard, le sociologue signale une *Révolution culturelle du temps libre* dont les répercussions sur la société sont sensibles.

A. LA CONQUÊTE DU TEMPS LIBRE

a. Une inversion historique

Depuis le milieu des années 80, le « temps libre », ce temps, qu'il est théoriquement possible d'utiliser à son gré, est devenu plus important que le temps passé au travail. Cette conquête se réalise sur le temps de travail et sur le temps domestique. Elle résulte aussi de l'allongement de la durée de la vie.

La réduction du travail domestique des femmes est liée pour une large part à l'équipement des foyers en appareils ménagers au cours des années 50 et 60. En 1958 encore, la durée des travaux ménagers est estimée à 42 heures 30 pour un foyer sans enfant, et respectivement à 66, 78 et 83 heures pour un foyer comprenant un, deux et trois enfants.

	Tableau 18 **L'évolution des temps sociaux**	
	1975	**1985**
Travail	28 h 07	24 h 44
Activités domestiques	31 h 02	31 h 37
Temps libre	24 h 16	28 h 28

Source : Joffre Dumazedier, *Révolution culturelle du temps libre, 1968-1988*, Paris, Méridiens-Klincksieck, 1988.

Cette moyenne hebdomadaire des durées comparées des temps sociaux pour la population adulte de plus de 18 ans masque de profondes inégalités sociales. Il reste qu'au plan des situations vécues la mutation est d'envergure.

Au siècle dernier, un ouvrier travaille environ 4 000 heures par an contre 1 600 aujourd'hui. De plus, d'une condition ouvrière sans repos ni retraite, avec des semaines de 70 heures et des journées de 12 heures, nous sommes passés à une vie de travail qui prend fin avec la retraite à 60 ans, une année avec 5 semaines de congés payés, une semaine de 5 jours et des journées de 7 heures 30 de travail. A l'échelle de sa vie, un Français bénéficie aujourd'hui de 150 000 heures de temps libre contre 25 000 vers 1800. **Sur la longure durée, cette spectaculaire augmentation du temps libre constitue assurément l'une des mutations majeures de la société contemporaine.**

La statistique doit être cependant relativisée. Depuis les années 60, la généralisation de la bi-activité au sein des familles n'a pas été compensée par la baisse de la durée du travail. De plus, l'intensification du travail, générateur de stress, touche de nombreuses catégories. Par ailleurs, depuis la fin des années 80, une société duale oppose ceux qui ont un travail de plus en plus prenant à ceux qui n'y ont pas (ou plus) accès.

b. Les phases de la conquête

Trois temps principaux, qui ont chacun leur histoire, expliquent cette croissance du temps libre : **les congés payés, le temps de travail et l'âge de la retraite.**

Les lois sur les congés payés de 1936 occupent une grande place dans la mémoire collective du Front populaire. L'État reconnaît la liberté de prendre des vacances et sécularise un temps libre auparavant scandé par le calendrier religieux. La loi accorde aux salariés 12 jours ouvrables de congés payés, plus les trois dimanches. Si certaines catégories socioprofessionnelles bénéficiaient déjà de congés, l'initiative du gouvernement Blum généralise les congés payés et ouvre un temps nouveau pour les ouvriers. En 1956, le gouvernement Guy Mollet fixe la durée des congés payés à 18 jours ouvrables. Les quatre semaines sont généralisées en 1969. Une cinquième semaine est obtenue en 1982, à la suite de l'arrivée de la gauche au pouvoir.

L'évolution de la durée hebdomadaire du travail obéit à une autre chronologie. Les 40 heures du Front populaire sont, dès 1938, remises en cause. Après 1945, les syndicats acceptent un dépassement des 40 heures légales et concentrent leurs revendications sur l'allongement des congés annuels. La baisse effective est longue à se dessiner : 46 heures en 1966, 42,3 heures en 1976, 41 heures en 1980. Le gouvernement socialiste adopte les 39 heures. Au cours des années 80 et 90, la revendication d'une

11

semaine de 35 heures, voire même de 32 heures, est envisagée comme une mesure permettant un meilleur partage du travail et s'inscrit dans la lutte contre le chômage. Elle traduit aussi l'aspiration à un autre mode de vie où le temps libre n'est plus seulement le temps du non-travail. Il reste que pour de nombreuses professions – cadres, agriculteurs, commerçants et artisans, etc. – la durée effective de travail demeure très supérieure à l'horaire légal.

L'aspiration à un autre mode de vie est aussi perceptible dans l'image de la retraite. La mutation majeure est la généralisation de la retraite pour tous à partir des années 70. Avec l'allongement de la vie, on parle désormais d'un « troisième âge », et même d'un « quatrième âge » pour les plus de 75 ans. A l'échelle des représentations, il ne s'agit plus seulement d'un repos bien mérité mais d'une nouvelle phase de la vie qui s'ouvre, dont la durée peut être égale au temps de travail. Le seuil des 60 ans, acquis au début des années 80, est de plus en plus précédé par des systèmes de pré-retraite suscités par la gestion sociale du chômage.

Tableau 19
Taux d'emplois masculins du groupe d'âge 55-64 ans (en %)

1971	1975	1980	1985	1991
73	67,1	65,3	46,7	42

Source : *L'État de la France*, Paris, Éd. de La Découverte, 1997.

La revendication d'une retraite à 55 ans, notamment pour les métiers les plus pénibles, est l'un des enjeux des conflits sociaux qui touchent le secteur des transports en 1996 et 1997, ce qui n'est pas sans poser des problèmes pour la gestion des régimes de retraite.

B. LE TEMPS DES LOISIRS

a. Un nouveau temps social

Le temps libre permet de pratiquer des activités non obligatoires. Certaines qui correspondent à des engagements institutionnels, comme les activités religieuses, politiques et syndicales, connaissent un relatif déclin depuis les années 60.

		Tableau 20 **Cumul sur une vie des temps de loisir** (en années)	
		Durant la vie active	**Durant la retraite**
Cadre	1950	8,9	3,7
	1980	8,5	5,4
Artisan	1950	7,3	0
	1980	7,1	2,4
Ouvrier	1950	9,6	1,4
	1980	9,3	4,1

Source : Henri Mendras, *La Seconde Révolution française*, Paris, Gallimard, 1994.

En revanche, le temps des loisirs enregistre une nette croissance. Chaque groupe social vit à sa façon ce temps des loisirs. Les usages de ce temps sont aussi tributaires des représentations sociales.

b. Un usage différencié

Les loisirs des élites restent longtemps articulés autour du voyage et de la croisière, de la villégiature, des pratiques sportives aristocratiques et des distractions citadines colorées par les usages mondains. Au cours des années 50, les catégories populaires privilégient la visite à la famille, la pêche à la ligne, le jardinage et le bricolage. Certaines pratiques conservent un aspect utilitaire et contribuent à l'économie des ménages.

Une tendance à l'homogénéisation est perceptible, rendue possible par la hausse du niveau de vie des Français et les mutations technologiques. A ce titre, les années 70 enregistrent les premières concrétisations de cette civilisation des loisirs, perçue de plus en plus comme une nouvelle « qualité de la vie ». Les années 80 confirment cette embellie alimentée par des industries du loisir en pleine expansion et le discours des publicitaires. Les pratiques culturelles (▶ **chapitre 17**) et sportives demeurent cependant des pratiques distinctives. Quelques tendances s'imposent à tous. La prégnance des médias, en premier lieu la télévision, touche l'ensemble des catégories sociales. Les sociabilités se sont renforcées : la proportion des Français recevant des proches au moins une fois par mois est passée de 39 % en 1967 à 63 % en 1988 ; celle des Français sortant le soir au moins une fois par mois de 30 % à 48 %. La sociabilité associative s'est renforcée comme en témoigne la croissance des créations d'associations.

Tableau 21
Les créations d'associations

	1960	1977	1982
Associations sportives	2 008	6 637	7 237
Associations de loisirs			
extrasportifs	2 300	5 535	4 806
Groupements artistiques	600	2 439	4 116

Source : Joffre Dumazedier, *Révolution culturelle du temps libre, 1968-1988*, Paris, Méridiens-Klincksieck, 1988.

c. Mutations des valeurs

A la Libération, dans la continuité des débats de l'entre-deux-guerres, le temps des loisirs demeure conçu comme un temps social à encadrer. Les mouvements d'éducation populaire, par-delà leur diversité idéologique, partagent cette conception que ne désavouent pas les experts et le patronat éclairé. Pour combattre l'oisiveté, la paresse et la passivité, le temps des loisirs doit contribuer à l'éducation du peuple et participer à l'épanouissement de l'homme. Aux catholiques qui privilégient la dimension spirituelle s'opposent les socialistes et les communistes, qui insistent sur les dimensions culturelles des loisirs. Les fonctions attribuées au loisir sont le délassement, le divertissement et le développement de la personnalité.

La société de consommation infléchit considérablement le rêve des militants de l'éducation populaire. Le temps des loisirs, ce temps pour soi, devient le temps de l'épanouissement et de la satisfaction individuels. L'ambition d'une acculturation collective par l'organisation des loisirs s'estompe devant la montée de l'hédonisme et du narcissisme comme valeurs dominantes. Le **loisir tend à devenir la nouvelle frontière du bonheur.**

C. LES VACANCES

a. L'ère des vacances de masse

Les congés payés du Front populaire n'ont pas suscité, contrairement à l'image dominante, des départs massifs en vacances. L'accès aux vacances de masse date des années 50. La fin des pénuries, les retombées de la croissance économique, la démocratisation de l'automobile permettent un développement du tourisme familial. A partir de 1964, le taux de départ en vacances sur l'ensemble de l'année est en augmentation continue.

Tableau 22
Évolution du taux de départ en vacances
(en %)

1969	1980	1985	1990
43,6	52,5	57,5	59,1

Source : INSEE.

L'emblématique nationale 7 permet le départ vers les plages du midi de la France. L'autoroute transforme bientôt le voyage en trajet. La « grande évasion de l'été » (André Rauch) devient un fait de société. Cette massification demeure socialement très inégalitaire. Au milieu des années 60, si 80 % des cadres supérieurs et des membres des professions libérales partent en vacances, ils ne sont que 10 % parmi les agriculteurs et 40 % chez les commerçants et ouvriers.

De nouveaux usages voient le jour. Le camping familial se développe au sein des ménages ouvriers et employés. Les formules proposées par le tourisme social permettent aux plus démunis de partir. Il faut attendre la fin des années 70 pour que le taux de départ des ouvriers enregistre une hausse sensible : 52,6 % en 1978 et 55,6 % en 1988. Les commerçants et artisans, même lorsqu'ils disposent de revenus plus élevés, partent peu. Très rares sont les agriculteurs qui prennent des vacances avant les années 70. Ce sont les cadres supérieurs, les professions libérales et les enseignants qui partent le plus et le plus longtemps.

11

b. *Sea, sex and sun*

Les rives de la Méditerranée et la campagne – l'attachement au terroir d'origine surtout – sont les principales destinations estivales. Les années 60, et plus encore la décennie suivante, voient se multiplier les résidences secondaires. Les vacances d'hiver ne concernent qu'une minorité qui s'adonne aux loisirs sportifs. Les séjours à l'étranger, essentiellement en Espagne et en Italie, concernent 13 % des partants en 1961, 17 % en 1967.

Le mode de vie du vacancier est divers. Les maisons de vacances des mouvements d'éducation populaire et des comités d'entreprise offrent une vie communautaire. En 1958, la création des Villages Vacances Familles (VVF) permet d'offrir des lieux de vacances avec un meilleur confort et des services collectifs. Le Club Méditerranée, dont la préhistoire remonte à 1949, exploite la formule du village de vacances dans le cadre du marché. Une sociabilité débridée rompt avec le quotidien, les conformismes et fait le succès de la formule. En 1965, le Club possède vingt-six villages, dont deux en France.

c. Le poids de la crise économique

A partir de 1975, la crise économique n'a pas d'incidences immédiates sur les vacances des Français : ceux-ci choisissent de préserver leur budget vacances. Pourtant, plusieurs tendances montrent un changement d'attitude.

Les Français partent moins longtemps, le séjour estival tend à se réduire au profit d'autres périodes de l'année. Au début des années 80, l'obtention d'une cinquième semaine de congés payés contribue à ce fractionnement des vacances. Les voyages à l'étranger se multiplient ainsi que les destinations.

L'usage des vacances s'est davantage individualisé. Il ne s'agit plus seulement d'occuper le temps des vacances, mais de rechercher la meilleure rentabilisation touristique et culturelle possible. L'émotion et l'exploit sportif sont recherchés par certains. Les offices de tourisme et les organisateurs de voyages offrent des produits qui s'adaptent aux désirs de chacun. La baisse des prix, favorisée par la dérégulation du trafic aérien, permet une certaine démocratisation du tourisme international. A l'échelle plus intériorisée des valeurs, la qualité de l'expérience et les rêves d'aventures font les vraies vacances.

Depuis les années 80, les usages des vacances sont sensibles aux effets de mode. Lancées par les industries culturelles, relayées par les médias, ces modes estivales contribuent à façonner les pratiques des vacanciers. Elles participent à une américanisation des loisirs que l'installation, au début des années 90, d'Euro Disney à Marne-la-Vallée symbolise.

Depuis le début des années 90, l'aggravation de la crise économique rend plus visibles ceux qui ne peuvent partager cette forme de loisir. Ne pas partir en vacances, c'est être exclu d'une pratique majoritaire.

Les vacances sont devenues un moment fort du calendrier annuel. Elles sont attendues et vécues comme un temps de rupture avec la vie quotidienne et professionnelle.

Depuis 1945, les usages du temps libre se sont démocratisés. Les inégalités sociales devant l'accès aux loisirs et aux vacances perdurent pourtant, tout en se réduisant. Les valeurs accordées au loisir dans la société influencent les modes de vie et les représentations collectives.

A. LA FIN DE L'ÉCOLE DE JULES FERRY

a. L'école du peuple

L'école primaire gratuite, obligatoire et laïque – à laquelle reste attaché le nom de Jules Ferry – était conçue comme l'école du peuple, destinée à forger l'unité nationale. Elle débouchait sur la vie active. A ses côtés, l'enseignement secondaire demeurait payant et accueillait les enfants des classes aisées. L'enseignement supérieur ne concernait qu'une infime minorité. A la marge, l'élitisme républicain, par l'intermédiaire des bourses et des concours, offrait une relative mobilité sociale.

b. L'école pour tous

Au cours des années 60, cette architecture scolaire cesse de fonctionner. **Les réformes Berthoin (1959) et surtout Fouchet (1963) la réorganisent en trois niveaux complémentaires : écoles, collèges et lycées.** En unifiant les structures administratives et pédagogiques du premier cycle, la réforme Haby (1975) consacre ce fonctionnement. Le primaire débouche désormais sur le collège. Au plan des structures, **la mixité et les classes par tranche d'âge** traduisent une autre rupture avec l'école de la IIIᵉ République.

B. L'EXPLOSION SCOLAIRE

a. La massification du secondaire

La demande sociale, les besoins d'une économie modernisée, l'accompagnement volontariste des pouvoirs publics suscitent **une explosion scolaire sans précédent.**

Dès les années 50, le secondaire vit une mutation quantitative, essentiellement dans le premier cycle. Entre 1965 et 1975, 2 354 collèges, soit un par jour ouvrable, ont été construits. En revanche, le lycée des années 60 reste relativement fermé.

Les années 80 enregistrent la naissance du lycée de masse. En 1985, l'ambition du ministre Jean-Pierre Chevènement de conduire 80 % d'une classe d'âge au niveau du baccalauréat suscite une réelle résonance sociale et bouleverse les structures de l'appareil éducatif : croissance massive des lycées d'enseignement général et technologique, création du baccalauréat professionnel. En 1995, 64 % d'une génération est au niveau du baccalauréat, contre 17 % vingt-cinq ans plus tôt. Le taux de scolarisation par âge (en %) traduit parfaitement la mutation quantitative réalisée par l'Éducation nationale :

Tableau 23						
	15 ans	**16 ans**	**17 ans**	**18 ans**	**19 ans**	**20 ans**
67-68	62,1	54,6	38,6	23,6	12,1	4,0
77-78	91,2	70,8	52,7	27,0	11,1	3,2
89-90	97,6	92,1	85,9	71,7	54,1	35,2
Source : INSEE.						

b. L'ouverture de l'enseignement supérieur

L'enseignement supérieur connaît une première montée en puissance dans les années 60 : doublement du nombre des étudiants de 1959 à 1966 ; Mai 68 en sera la traduction. La loi Faure conduit à l'autonomie des universités tout en maintenant la tutelle de l'État. Les structures administratives universitaires, l'organisation des études et des examens, les relations professeurs-étudiants sont sensiblement modifiées à la suite de Mai 68.

Tableau 24			
Effectifs (en milliers)	**1970**	**1980**	**1995**
Primaire	4 799	4 610	4 183
Secondaire	4 418	5 012	5 696
Supérieur	854	1 176	2 170
Source : *L'État de la France*, Paris, Éd. de La Découverte, 1997.			

A partir du milieu des années 80, une seconde poussée des effectifs étudiants conduit à une collaboration financière avec les collectivités locales et à une plus grande différenciation des établissements. Confrontée à d'importants taux d'échec en premier cycle, incertaine quant à ses finalités par temps de crise économique aggravée, l'université française est à la croisée des chemins.

C. UNE DÉMOCRATISATION EN DÉBAT

a. Inégalités persistantes

Cette massification n'est pourtant pas synonyme d'une réelle démocratisation. Si depuis les années 60, les élèves issus des milieux populaires sont davantage présents aux niveaux élevés de la scolarité, les sections les plus prestigieuses ont renforcé leur caractère élitiste. Paradoxalement, l'essentiel de la démocratisation s'est réalisé avant 1960. La carte scolaire (1963), l'utilisation stratégique des filières et le maintien de l'élitisme ont réduit le discours officiel de l'égalité devant l'école.

b. La « noblesse d'État »

Les grandes écoles – École polytechnique, École normale supérieure, École nationale d'administration, Hautes Études commerciales… – constituent une singularité française. L'analyse des origines sociales de leurs élèves de 1950 à 1990 montre que la sélection des élites traduit toujours la reproduction du pouvoir et des positions sociales dominantes.

c. Le malaise de la société enseignante

L'explosion scolaire a suscité un malaise croissant au sein de la société enseignante. Les professeurs du second degré – collèges et lycées – ont dû faire face à l'hétérogénéité croissante des élèves.

A partir des années 60, les recrutements massifs ont bouleversé la composition sociologique du corps enseignant, marquée par une féminisation, un rajeunissement et un embourgeoisement. La croissance quantitative n'est pas linéaire : forte dans les années 60, négative dans les années 70 avec un étiage en 1979-1980, puis reprise massive à partir de 1985. Par ailleurs, le prestige social de la fonction est moindre qu'autrefois.

La société enseignante est travaillée par de profondes fractures, suscitées par les oppositions statutaires, disciplinaires et partisanes. La Fédération de l'éducation nationale (FEN), née en 1947, a longtemps constitué un syndicalisme majoritaire, construit sur une base corporative. En 1992, l'éclatement de la centrale bouleverse le paysage syndical enseignant : une FEN affaiblie fait face à une Fédération syndicale unitaire (FSU), fondée en 1993, portée par un net dynamisme. L'identité enseignante, longtemps dominée par l'esprit de corps des instituteurs, est aujourd'hui plurielle.

D. LA QUESTION SCOLAIRE

a. Public contre privé

Le conflit entre enseignement public et enseignement privé est central au début de la IIIe République, réactivé au tournant du siècle par la politique d'Émile Combes. Pendant l'entre-deux-guerres, la question scolaire continue à distinguer la droite de la gauche.

b. Victoire du privé

Vichy avait permis à l'Église de consolider son école. En 1951, les lois Marie et Barangé (1951) permettent une aide publique aux élèves des établissements privés : le principe républicain « à école privée, fonds privés » est remis en cause. En imposant des obligations de service public, la loi Debré (1959) lie les établissements privés à l'État par un système contractuel et rallume la guerre scolaire. En 1977, la loi Guermeur crée de fait un double service public et traduit la pression de la droite majoritaire depuis les débuts de la Ve République en faveur de l'« école libre ».

c. Apaisement ?

Le programme socialiste de 1981 annonçait la création d'un « grand service public unifié et laïque de l'Éducation nationale ». Le recul gouvernemental de 1984 face à la mobilisation des tenants de l'enseignement privé est interprété comme la dernière matérialisation de la question scolaire. L'apaisement est réel et traduit la place que l'opinion publique accorde désormais au privé : une école moins confessionnelle, de la deuxième chance, un élément de l'offre scolaire.

Cependant, en janvier 1994, la mobilisation du camp laïc, contre un texte amendant la loi Falloux et permettant aux collectivités locales de subventionner sans plafond l'enseignement privé, conduit à un recul du gouvernement d'Édouard Balladur. La question scolaire n'est sans doute pas close et participe de la construction des cultures politiques.

Le thème de la « crise de l'école » est récurrent depuis plusieurs années. **Il traduit les incertitudes qui traversent la société française et confirme les attentes que les Français placent dans le système scolaire.**

En 1962, le sociologue Edgar Morin analyse, dans *L'Esprit du temps*, l'émergence d'une « culture de masse ». **S'adressant au grand public, cette culture, syncrétique et homogénéisante, est modelée par les médias et les industries culturelles.**

A. LE RÈGNE DES PETITES LUCARNES

a. La généralisation de l'équipement

La télévision s'est banalisée avec une grande rapidité. Les quelques récepteurs de 1950 se sont multipliés. Aujourd'hui, 96 % des ménages possèdent une télévision, et le multiéquipement connaît une croissance rapide depuis le milieu des années 80.

Tableau 25
Télévision : taux d'équipement des ménages
(en %)

	1960	1965	1970	1975	1980	1985	1990	1995
Équipement	15	39	67	83	90	94	95	96
Dont couleur	–	–	3	10	44	65	91	94
Multi-équipement	–	–	–	–	2	9	29	45

Source : Gérard Mermet, *Francoscopie*, Paris, Larousse, 1997.

La « télé » – l'expression s'impose vers 1965 – occupe une place croissante au sein de l'espace des loisirs des Français. La pratique hebdomadaire de *La Folle du logis* (Dominique Wolton et Jean-Louis Missika, 1983) passe de 16 heures en 1973 à 20 heures en 1988. Si les différences de pratiques sont perceptibles, elles le sont beaucoup moins que pour les autres pratiques culturelles (▶ **chapitre 17**). Les téléspectateurs les plus fidèles se recrutent parmi les plus de 65 ans, les femmes au foyer, les inactifs et les non-diplômés. Les usages de la télévision se sont diversifiés à la suite de la multiplication des chaînes et de la généralisation du magnétoscope.

En revanche, **le cinéma est en perte de vitesse** auprès des masses. La chute de la fréquention et la fermeture des salles, notamment dans les quartiers, soulignent la désaffection du public populaire. Après une baisse brutale pendant les années 50 et 60, un palier au cours des années 70, l'érosion reprend à partir de 1983.

Tableau 26 La fréquentation des salles (en millions de spectateurs)								
1947	1957	1965	1970	1975	1980	1985	1990	1995
424	400	259	185	182	175	175	122	130

Source : Gérard mermet, *Francoscopie*, Paris, Larousse, 1997.

Une légère hausse, amorcée en 1993, se confirme ensuite et s'explique par le succès de certains films – *Les Visiteurs* et *Jurassic Park* en 1993 –, la diversification de la programmation, les politiques tarifaires et la modernisation des salles. Pourtant, les Français regardent de plus en plus de films, mais à la télévision. En 1995, les chaînes émettant en clair diffusent plus de mille films, ce qui représente 27 % du temps de programmation et 36 % de l'audience. Cette pratique, facilitée par l'usage du magnétoscope à partir des années 80, se renforce avec l'arrivée des chaînes câblées et cryptées.

b. Une télévision de qualité ?

Au cours des années 50 et 60, la télévision est conçue comme un instrument d'éducation populaire. Les émissions *Lectures pour tous*, *La Caméra explore le temps*, *Cinq Colonnes à la une* participent de cette volonté de culture pour tous que partagent tous les professionnels. En 1961, la diffusion à 20 heures 30 des *Perses* d'Eschyle, adaptés par Jean Prat, symbolise cette philosophie. Pourtant, les enquêtes d'audience montrent que les téléspectateurs apprécient plutôt le divertissement. Les séries policières (*Les Cinq Dernières Minutes*), les feuilletons (*Thierry la Fronde* et *Jacquou le Croquant*), les jeux (*La Tête et les jambes* et *Intervilles*) et les variétés (*Le Palmarès des chansons*) contribuent à façonner une culture de masse à la française qui sait résister aux formes et aux modes importées d'outre-Atlantique. Cette quête du divertissement est encouragée, après 1968, par

13

des pouvoirs publics qui gardent une haute main sur l'information télévisée.

L'américanisation, stigmatisée par des intellectuels peu sensibles aux charmes de la télévision, est davantage perceptible au cinéma et au sein des courants musicaux, littéraires et picturaux. En sens inverse, la bande dessinée se désaméricanise à la suite de la loi de 1949 sur les publications destinées à la jeunesse et offre un espace d'expression à l'école belge par le biais du *Journal de Tintin* et du *Journal de Spirou*.

c. Le primat de l'audience

Dès 1967, l'audience des émissions est mesurée auprès d'un échantillon de téléspectateurs. L'année suivante, l'introduction de la publicité conduit inéluctablement sur la pente d'une marchandisation des programmes. La concurrence entre les chaînes est encouragée : une troisième chaîne à vocation régionale est créée en 1972 et complète une deuxième chaîne ouverte dès 1964. La rupture principale est liée à l'arrivée des socialistes au pouvoir. La création de chaînes privées – Canal + en 1984, la Cinq et TV6 en 1986 – et surtout la privatisation de TF1 en 1987, lors de la première cohabitation, confortent la logique du marché. Une télévision commerciale, proche des modèles américains et italiens, voit le jour. Les programmes s'adaptent au goût du public. La multiplication des *reality shows* et la généralisation de l'information-spectacle – de la guerre du Golfe à la mort de lady Diana – illustrent ces nouvelles pratiques. La réception par le câble (1,8 million de foyers en 1995) et par le satellite (1 million de foyers) permet l'accès à plusieurs dizaines de chaînes thématiques et favorise là aussi l'individualisation des pratiques.

Les émissions culturelles sont de moins en moins présentes sur les chaînes généralistes et caractérisent la chaîne franco-allemande Arte, diffusée sur le réseau hertzien depuis 1992. Son audience reste faible, autour de 3 à 4 %, soit 1 million à 1,5 million de téléspectateurs. En 1997, elle fusionne avec La Cinquième, chaîne éducative lancée deux ans plus tôt.

B. LE RENOUVEAU DE LA RADIO

a. Un monopole d'État

En 1944-1945, le réseau français est profondément endommagé. La reconstruction sera longue. Jusqu'en 1947, la Radiodiffusion télévision française (RTF) diffuse le Programme national, plus culturel, et le Programme parisien, centré sur les informations et les variétés. A partir de cette date, la création de Paris Inter, à la programmation essentiellement musicale, diversifie une offre étroitement contrôlée par les pouvoirs publics. Le *Journal parlé* demeure au service du gouvernement, par temps de guerre froide et de difficile décolonisation.

A la Libération, personne ne songe à remettre en cause le monopole de l'État sur la radiodiffusion. Pourtant, les radios « périphériques », qui émettent depuis l'étranger, contournent ce monopole. Radio-Luxembourg, qui reprend ses émissions en 1945 et construit une programmation pour un public populaire, et, à partir de 1955, Europe 1, plus ouverte à la nouveauté, proposent une alternative aux programmes nationaux. La croissance du nombre des récepteurs – 5 millions en 1945 et 10,7 millions en 1958 – souligne la place que la radio occupe dans les pratiques quotidiennes des Français.

b. L'embellie des années 60

A partir de 1955, la diffusion du poste à transistor donne une nouvelle jeunesse à la radio. L'unique poste familial cède la place aux multiples « transistors ». L'emprise des pouvoirs publics ne se desserre pas, d'autant plus que le média joue un rôle remarqué lors de la crise algérienne et pendant les événements de Mai 68. L'État, qui détient plus de 30 % du capital d'Europe 1, cherche à contrôler les radios périphériques et échoue, en 1966, dans sa tentative de mainmise sur RTL.

Avec l'arrivée d'Europe 1, une radio nouvelle manière, dont les modèles proviennent d'outre-Atlantique, s'installe sur les ondes. Le style des animateurs et l'importance accordée au direct révolutionnent les pratiques radiophoniques. En 1959, le lancement d'une émission pour les jeunes, *Salut les copains*, doublée d'un magazine de presse en 1962, contribue à lancer les chanteurs « yé-yé ».

c. La révolution des années 80

En 1982, la libéralisation des ondes suscite la création de plusieurs centaines de radios locales privées, dont beaucoup existaient clandestinement avant 1981. Deux ans plus tard, l'autorisation de la publicité conduit à une rapide domination des radios commerciales aux dépens des radios associatives. A partir de 1986, la constitution de réseaux entraîne un mouvement de concentration. En 1993, quatorze réseaux se partagent le marché, privilégiant la musique anglo-américaine comme NRJ ou la musique française à l'image de Nostalgie. Ces groupes se constituent autour des régies publicitaires. Ainsi, Matra-Hachette, par l'intermédiaire de Régie 1, commercialise, outre Europe 1, Europe 2, RFM et Sky Rock. Ce poids croissant des radios locales explique pour une part le redressement de l'audience d'un média qui a, de plus, conservé sa crédibilité auprès des Français.

Le secteur public résiste peu ou prou à la concurrence du privé. Radio-France, qui vit essentiellement de la redevance, conduit à partir de 1983 une habile décentralisation. En 1995, quarante-sept radios locales publiques irriguent le territoire. En 1987, le lancement d'une radio d'information continue, France-Info, se solde par un succès. Son audience cumulée atteint 10,5 % en avril-juin 1996.

d. France-Musique et France-Culture

L'une des singularités françaises est l'existence de deux chaînes publiques à vocation culturelle. Héritière de la « chaîne nationale », France-Musique offre, depuis le début des années 60, une programmation musicale de qualité. De même, France-Culture, qui succède à France-Promotion en 1963, s'impose comme une radio généraliste à dominante culturelle. Attachée à la qualité du son, vecteur et acteur de la vie culturelle, la station nationale enregistre une croissance de son audience, qui passe de 280 000 auditeurs quotidiens en 1984 à plus de 500 000 en 1997, et un rajeunissement de son public.

C. LES MUTATIONS DE LA PRESSE

a. Les désillusions de la Libération

Au sortir de la guerre, le paysage de la presse se trouve profondément modifié. Les titres issus de la Résistance, comme *Combat* et *Défense de la France*, cohabitent avec ceux de l'entre-deux-guerres, comme *Le Figaro*, alors que la presse collaborationniste et celle qui avait continué de paraître après novembre 1942 sont sanctionnées par un arrêt du titre. Ainsi, *Le Monde* prend la suite du *Temps*.

Cette rénovation est portée par l'État, qui accorde des aides financières mais échoue à définir un statut définitif aux entreprises de presse. De plus, Hachette conserve une place essentielle dans la distribution. Dès 1947, la hausse des prix, les grèves et les premiers mouvements de concentration enterrent l'unanimité de la Libération.

b. Une presse en difficulté

A partir des années 50-60, la concurrence grandissante de l'audiovisuel amoindrit les recettes publicitaires de la presse et influe sur les contenus éditoriaux. Par ailleurs, le corporatisme de la Fédération des travailleurs du livre ralentit la nécessaire modernisation de la fabrication des quotidiens. Au cours des années 50, le nombre de titres et les tirages diminuent, se stabilisent la décennie suivante, avant de connaître une nouvelle érosion après 1968.

La presse régionale conserve une large audience alors que certains titres nationaux, comme *Ce Soir* en 1953 et *Libération* en 1964, disparaissent. D'une manière générale, les quotidiens d'opinion liés à des structures partisanes sont en grande difficulté. Au début des années 70, à la suite des disparitions de *L'Aube* (MRP) en 1951 et du *Populaire* (SFIO) en 1969, ne subsiste plus que *L'Humanité* (PCF). Cependant, la presse communiste de province est aussi menacée. L'heure des grands quotidiens populaires, comme *Le Parisien libéré* et *France-Soir*, est passée, même si les tirages restent importants, respectivement 700 000 et 1 million d'exemplaires en 1966.

Les années 60 voient l'affirmation du *Monde*, dirigé depuis 1944 par Hubert Beuve-Méry. Il double son tirage, de 220 000 à 478 000 exemplaires, et s'impose auprès des étudiants et des classes moyennes. Les hebdomadaires, *L'Express* et *Le Nouvel Observateur*, adoptent la formule du *news magazine* et le format « tabloïd ». La presse du cœur (*Nous Deux* et *Intimité*) est florissante, concurrencée par une presse à sensation (*France-Dimanche* et *Ici Paris*) et les journaux de télévision comme *Télé-7 jours* (1960) et *Télé Poche* (1965). L'hebdomadaire *Paris-Match*, lancé en 1949, caractérisé par la qualité de ses documents photographiques, connaît un large succès jusqu'au début des années 70.

c. La presse sous la domination de l'audiovisuel

A partir des années 70, la montée en puissance des médias audiovisuels réduit l'espace de la presse au sein des pratiques culturelles des Français. Si la lecture des magazines thématiques se maintient, celle des quotidiens décline fortement.

13

La diffusion des magazines de télévision est particulièrement remarquable : en 1994, sept titres dépassent le million d'exemplaires. *Télérama*, créée en 1950 par le groupe La Vie catholique, se singularise par son ouverture à d'autres secteurs de la vie culturelle.

Les grands quotidiens nationaux ont des difficultés à survivre. Issu de la mouvance de mai, *Libération*, né en 1973, est l'un des seuls nouveaux titres à perdurer, non sans vicissitudes. Aussi, en 1994, *Le Quotidien de Paris* disparaît ; *L'Événement du jeudi*, hebdomadaire lancé en 1985, dépose son bilan ; *France-Soir* voit son lectorat s'effondrer ; *Libération* et *Le Monde* passent par une nécessaire recapitalisation. La presse régionale résiste mieux, malgré un inexorable mouvement de concentration. *Ouest-France*, fort de ses trente-huit éditions locales, parvient à vendre chaque jour plus de 800 000 exemplaires.

Le prix élevé des quotidiens et le manque d'adaptation aux nouvelles demandes du public viennent encore renforcer la concurrence de l'audiovisuel.

D. L'HEURE DU MULTIMÉDIA

a. La croissance des équipements

Depuis 1993, l'apparition du multimédia est à l'origine d'une hausse de l'équipement des ménages. En 1995, 1,7 million de cédéroms ont été achetés, soit une croissance de 140 % par rapport à 1994. Aujourd'hui, plus de 21 % des ménages possèdent un ordinateur familial qui concurrence de plus en plus la télévision et les consoles de jeux, présentes dans un tiers des foyers. Si le réseau Internet occupe une large place dans les médias et fait figure de nouvelle modernité, une faible proportion des ménages (11 % en 1996) dispose de modems. En 1995, entre 200 000 et 300 000 « internautes » français utilisent ce réseau mondial qui compte 40 millions d'utilisateurs, en majorité en Amérique du Nord.

b. Quels usages culturels ?

Par-delà d'importants enjeux économiques qui mobilisent les industries culturelles à l'échelle planétaire, le multimédia offre de nouvelles possibilités pour la transmission des savoirs. L'édition de cédéroms ludiques, culturels et éducatifs est en pleine croissance. Le « cybercafé », nouveau lieu de sociabilité, accueille les pratiquants du « Net ». La *Cyberculture* (Pierre Lévy, 1996) contribue à la diffusion de nouveaux modèles culturels.

Au plan de la création, le multimédia, à l'image de la vidéo depuis plusieurs décennies, est un outil qui suscite de nouvelles pratiques artistiques. Le Centre international de création vidéo de Montbéliard s'est imposé, depuis 1989, comme l'un des lieux les plus importants en Europe pour les nouvelles technologies de la création.

Depuis 1945, les médias ont contribué avec force à la diffusion et à la configuration des modèles culturels. Leur place au sein des pratiques culturelles et de loisirs a été confortée.

A. UN NOUVEAU PAYSAGE

Les suites de la Seconde Guerre mondiale suscitent une recomposition du paysage intellectuel : une double épuration et un engagement nécessaire.

a. Une double épuration

Marquée par la pérennité des écrits, **l'épuration intellectuelle est plus sensible que celle des artistes** ou, plus encore, celle des milieux économiques. Pour les contemporains comme pour la postérité, l'exécution, en février 1945, de Robert Brasillach symbolise, non sans débat, cette volonté de justice.

Parallèlement, le Comité national des écrivains (CNE), composé d'intellectuels résistants, publie des listes d'auteurs accusés d'avoir collaboré. Le CNE tient une grande place à la Libération et contribue à parfaire notoriétés et déchéances.

Compromises avec l'occupant, droite et extrême droite intellectuelles cèdent alors la place à une gauche intellectuelle, dominante pendant les trois décennies qui suivent.

b. Une nécessité : s'engager

Si la notion d'engagement domine la sphère intellectuelle de l'après-guerre, cette pratique est déjà bien présente dans l'entre-deux-guerres ainsi que pendant le conflit. Il reste que l'année 1945 voit sa théorisation. Porté par le climat idéologique de la Libération, l'engagement de l'écrivain s'impose au plus grand nombre.

C'est dans la première livraison de la revue *Les Temps modernes*, en octobre 1945, que **Jean-Paul Sartre** fixe les attendus du devoir d'engagement, désormais consubstantiel à la qualité d'écrivain. Les nombreuses prises de parole de Sartre, professeur et écrivain, contribuent à en faire un véritable symbole de l'engagement intellectuel.

La passation de relais intragénérationnel, la notoriété littéraire de Sartre, la place acquise par la philosophie comme discipline majeure et la nécessité de l'engagement éclairent la position centrale des *Temps modernes* sur une scène intellectuelle marquée par la domination communiste.

c. La domination communiste

L'adhésion d'intellectuels de renom (Picasso, Aragon…), l'attrait auprès des jeunes intellectuels, l'importance des « compagnons de route » (Yves Montand, Sartre) font **du communisme la référence intellectuelle de la décennie qui suit la Libération.** La place prise par l'URSS dans l'écrasement du IIIe Reich, le rôle tenu par le PCF au sein de la Résistance française contribuent à expliquer cette domination intellectuelle.

Par temps de guerre froide, le camp communiste sait mobiliser ses troupes. Le Mouvement pour la paix à partir de 1948, l'affaire Kravchenko (1947-1949), la manifestation contre la venue du général américain Ridgway (1952) sont les témoins de l'offensive intellectuelle communiste. En 1956, les suites du rapport Khrouchtchev et surtout l'intervention soviétique en Hongrie fragilisent cette position hégémonique.

Bien que tenu comme illégitime par la gauche intellectuelle, un fort mouvement anticommuniste persiste. Dans *Le Grand Schisme* (1948) comme dans *L'Opium des intellectuels* (1955), Raymond Aron critique le communisme. La revue *Preuves*, dans la mouvance des Congrès pour la liberté de la culture, accueille les tenants de la pensée libérale.

B. PRISES DE PAROLE

a. En guerres coloniales

La guerre d'Indochine, guerre exotique réalisée sans l'apport du contingent, mobilise peu la scène intellectuelle, à l'image de l'ensemble de l'opinion publique. Seuls les intellectuels communistes dénoncent avec continuité cette « sale guerre ».

En revanche, la guerre d'Algérie fait rejouer d'anciennes lignes de fractures idéologiques. Clivage droite/gauche et effets de génération distinguent partisans du maintien de la France en Algérie et dénonciateurs du colonialisme. Peu à peu, le clivage, à l'origine moral et éthique autour de l'usage de la torture, se colore de considérations politiques et idéologiques.

La « bataille de l'écrit » s'exaspère lors des dernières années du conflit : au *Manifeste des 121*, qui défend le droit à l'insoumission, répond le *Manifeste des intellectuels français* (1960).

Au total, l'influence des intellectuels sur le déroulement du conflit est malaisé à établir. Ils ont sans doute joué un rôle de

14

relais auprès de l'opinion publique, sans pour autant être déterminants.

b. Le combat tiers-mondiste

Après 1956, la Chine et Cuba remplacent l'URSS dans l'imaginaire militant des intellectuels. La défense d'un Tiers Monde confronté à l'impérialisme efface le couple antagoniste prolétariat/capitaliste. L'opposition à la guerre du Vietnam matérialise cette nouvelle donne idéologique.

Avant même Mai 68, puis dans son sillage, s'épanouit une extrême gauche multiforme constituée de trotskistes, de maoïstes et de libertaires. **Bien que fortement minoritaire au sein de la société française, elle donne sa tonalité au climat idéologique jusqu'au milieu des années 70.** Son influence est particulièrement sensible dans les lycées et les universités.

C. DES INTELLECTUELS EN CRISE

a. Remise en cause idéologique

En 1974, la traduction française de *L'Archipel du Goulag* d'Alexandre Soljenitsyne sonne le glas d'un modèle soviétique déjà bien ébranlé. Les tragédies qui secouent la péninsule indochinoise communiste confirment cette tendance. Le débat sur le totalitarisme irrigue la stratégie éditoriale et médiatique des « nouveaux philosophes » de *La Cuisinière et le Mangeur d'hommes* d'André Glucksmann (1975) à *La Barbarie à visage humain* de Bernard-Henri Lévy (1977).

Dans ce contexte, l'idéologie libérale connaît une embellie. Raymond Aron, longtemps éclipsé par le magistère sartrien, symbolise ce retournement qui marque le début des années 80. La respectabilisation de la nouvelle droite amplifie la portée des remises en cause qui touchent la pensée marxiste, sans renverser pour autant les postulats libéraux.

b. Une nouvelle place

Le primat des droits de l'homme et le déclin des idéologies totalisantes pèsent sur la visibilité des intellectuels à partir de la fin des années 80. La scène médiatique privilégie désormais l'homme d'affaires (Bernard Tapie) ou le comique (Coluche). Peu sensibles au contexte politique ouvert en 1981 avec l'arrivée de la gauche au pouvoir, les intellectuels se retranchent sur leur pré carré. Au début des années 90, le débat sur le déclin de la culture française traduit une véritable crise d'identité du monde des clercs.

Absents de la scène médiatique lors de la guerre du Golfe (1991), les intellectuels sauront cependant se mobiliser lors du conflit en Bosnie et lors des mouvements sociaux de décembre 1995.

A. UNE LONGUE TRADITION

La France est l'un des seuls pays d'Europe occidentale où l'intervention de l'État dans les domaines artistiques et culturels soit ancrée dans une histoire aussi longue. Au lendemain de la Libération, le maintien de la politique des beaux-arts se fonde sur des héritages multiples et complémentaires.

a. Héritages : de l'Ancien Régime au Front populaire

Présente dès l'Ancien Régime sous une triple forme (système académique, mécénat royal et censure), reformulée pendant la décennie révolutionnaire avec l'invention du patrimoine national, matérialisée par la gestion des beaux-arts pendant un long XIXe siècle, l'intervention de l'État est bel et bien une tradition française.

Véritablement pris en compte sous le Front populaire dans le cadre d'un projet de démocratisation de la culture, ce volontarisme n'est pas contredit par le régime de Vichy. Bien que colorée par le programme réactionnaire de la révolution nationale et instrumentalisée au service d'un régime autoritaire, la politique culturelle de l'État français s'inscrit dans la continuité lorsqu'elle place au premier rang les questions de la popularisation, de l'organisation administrative et de la jeunesse.

b. La IVe République

Marquée par les idéaux issus de la Résistance, la constitution de la IVe République inscrit pour la première fois le droit à la culture dans son préambule. Au-delà de cette réalité constitutionnelle, les matérialisations seront plus modestes. Si l'on excepte en 1947 le court ministère de la Jeunesse, des Arts et des Lettres confié à Pierre Bourdan, les gouvernements successifs n'ont pas la volonté de créer un véritable ministère et se contentent d'un secrétariat d'État aux Arts et aux Lettres, qui reste sous la tutelle de la puissante Éducation nationale.

Malgré la faiblesse des moyens budgétaires – 0,17 % du budget de l'État en 1950 et 0,10 % en 1954 –, l'innovation n'est pas totalement absente. En 1946, la création du Centre national de la cinématographie témoigne de la reconnaissance d'un art. Surtout, sous l'impulsion de Jeanne Laurent, l'État lance **la**

décentralisation théâtrale. Compris comme une véritable nationalisation, le soutien de cinq centres dramatiques matérialise la démocratisation, amorce la contractualisation avec les collectivités locales et inaugure le renouveau de la scène théâtrale française. En 1951, **Jean Vilar**, fondateur d'un festival à Avignon en 1947, se voit confier le Théâtre national populaire et s'inscrit dans la même philosophie.

B. LA DÉCENNIE MALRAUX

a. André Malraux : le verbe et la notoriété

En 1958, avec le retour du général de Gaulle, Malraux offre son verbe et sa notoriété au nouveau régime. Chargé de l'information en juin 1958, il devient, le 9 janvier 1959, ministre d'État chargé des Affaires culturelles.

La mesure ne répond pas à un vrai projet politique, mais vise surtout à confier à l'écrivain un ministère qui donnerait « du relief » au gouvernement de Michel Debré. Il reste que la présence décennale d'André Malraux fut déterminante dans la pérennité du ministère.

b. Missions et structures du ministère

C'est le décret du 24 juillet 1959 qui définit les missions du ministère des Affaires culturelles. Ce texte est important, car il va définir pour plus de dix ans la politique de l'État : « Le ministère chargé des Affaires culturelles a pour mission de rendre accessibles les œuvres capitales de l'humanité, et d'abord de la France, au plus grand nombre possible de Français ; d'assurer la plus vaste audience à notre patrimoine culturel, et de favoriser la création des œuvres d'art et de l'esprit qui l'enrichissent. »

La revendication démocratique triomphe donc par les attendus de ce décret fondateur. La notion d'« État esthétique » (Philippe Urfalino, *L'Invention de la politique culturelle*, 1996) caractérise cette philosophie de l'action culturelle qui vise **à assurer la démocratisation culturelle par la rencontre du public et de l'œuvre d'art**. Cette revendication d'un droit du peuple à la culture et la promotion des avant-gardes conduisent à une triple rupture avec l'Éducation nationale, les beaux-arts et l'éducation populaire.

Soutenu par des fonctionnaires de retour d'outre-mer, le ministère se construit progressivement. Les grandes directions du

15

ministère placent l'innovation à la marge. Le bilan est mitigé. Le budget reste modeste. Le patrimoine national est pris en compte, complété par la loi sur les secteurs sauvegardés (1962) et le lancement de l'Inventaire général. L'ambitieux projet des maisons de la culture donne naissance à quelques rares établissements bien vite en crise.

C. L'ENTRE DEUX MAI

a. La marque présidentielle

Homme de culture attiré par la modernité artistique, Georges Pompidou (1969-1974) intervient directement dans ce domaine. Le meilleur exemple est celui du projet d'un centre culturel à Paris : Beaubourg.

Valéry Giscard d'Estaing (1974-1981) est beaucoup moins sensible à la culture. Bien qu'attaché à certaines réalisations (Orsay et la Villette), il considère essentiellement la culture comme un domaine relevant de l'individu et du privé.

b. Le développement culturel

Le ministère Duhamel (1971-1973) se singularise : renforcement de l'administration centrale, début de la déconcentration, politique interministérielle, libéralisme assumé, reconnaissance du rôle des collectivités locales. Surtout, la philosophie d'action placée désormais sous le signe du développement culturel enregistre un double infléchissement. **L'acceptation anthropologique de la culture et la diversité des voies de l'action culturelle fondent la démocratie culturelle.**

Le ministère Guy (1974-1976) conforte cette politique par la fin de la censure cinématographique, le lancement de chartes culturelles en partenariat avec les collectivités locales et une active politique théâtrale.

Au-delà d'une politique patrimoniale plus affirmée, la fin du septennat giscardien se caractérise par un désengagement de l'État. Cependant, appropriée par les partis politiques, la question de la politique culturelle s'impose, alors même que la consommation culturelle des ménages s'accroît.

D. LES ANNÉES LANG

a. Ruptures quantitatives et qualitatives

A la suite de l'élection de François Mitterrand en 1981, le budget de la culture double, puis progresse régulièrement. La **première rupture est bien financière** : la volonté politique de ne pas sacrifier la politique culturelle par temps de crise économique aggravée. En 1993, le mythique 1 % du budget de l'État est atteint, avant d'être ramené à 0,93 % à la suite d'une loi de finance rectificative.

Milliards de francs

**Ministère de la culture
Budgets votés
(1959-1995)**

Source : Philippe Poirrier, *Histoire des politiques culturelles de la France contemporaine*, Dijon, Bibliest, 1996.

Cette embellie financière est confortée par Jack Lang qui sait incarner ce changement d'échelle. **De surcroît, le ministre, dont la popularité est croissante, bénéficie du soutien du président de la République.**

Le décret du 10 mai 1982 traduit une conception plus large de la politique culturelle : « Le ministère de la Culture a pour mission : de permettre à tous les Français de cultiver leur capacité d'inventer et de créer, d'examiner librement leurs talents et de recevoir la formation artistique de leur choix ; de préserver le patrimoine culturel national, régional, ou des divers groupes sociaux pour le profit commun de la collectivité tout entière ; de favoriser la création des œuvres d'art et de l'esprit et de leur donner la plus vaste audience ; de contribuer au rayonnement de la culture et de l'art français dans le libre dialogue des cultures du monde. » Cette ouverture aboutit notamment à la reconnaissance du jazz, du rock, du rap, de la bande dessinée et de la mode. Réconciliation entre l'économie et la culture, professionnalisation des acteurs, soutien accru des créateurs, modernisation des établissements culturels et déconcentration marquent les années Lang.

Mais soutenue par une communication omniprésente, cette politique colorée par l'air du temps suscite de vives critiques de Marc Fumaroli (*L'État culturel*, 1991) à Michel Schneider (*La Comédie de la culture*, 1993).

b. Les grands travaux

L'intervention présidentielle est sensible dans la mise en œuvre de grands travaux. Objets de polémiques, le Grand Louvre, l'Opéra Bastille ou encore la Bibliothèque de France confortent la place de Paris sur la scène culturelle et touristique internatio-

Tableau 27 Le coût des grands travaux			
Établissement culturel	Architecte(s)	Milliards de francs	Inauguration
Musée d'Orsay	Gae Aulenti	1,3	1986
Parc de la Villette	Bernard Tshumi	1,3	1986
Musée des Sciences	Adiren Fainsilber	5,4	1986
Institut du monde arabe	Jean Nouvel	0,424	1987
Opéra Bastille	Carlos Ott	2,8	1989
Arche de la Défense	Paul Andreu, Otto von Spreckelsen	3,715	1989
Ministère des Finances	Paul Chemetov, Borja Huidobro	3,7	1989
Cité de la Musique	Christian de Portzamparc	1,1	1994
Muséum	Paul Chemetov, Borja Huidobro	1	1994
Grand Louvre	Ieoh Pei	5,7	1995
Bibliothèque de France	Dominique Perrault	7,8	1995
Total		34,239	

Source : F. Benhamou, *L'Économie de la culture*, Paris, Éd. de La Découverte, 1996.

nale. Ils traduisent une modernisation des équipements culturels de la capitale et sont l'occasion de révéler une nouvelle génération d'architectes.

c. Cohabitations : primat de la continuité

Sous les gouvernements de cohabitation, de 1986 à 1988, puis de 1993 à 1995, les continuités priment malgré une attention plus soutenue envers le patrimoine et une volonté proclamée d'aménagement culturel du territoire.

En 1996, dans le cadre d'un budget de rigueur, le ministre de la Culture, Philippe Douste-Blazy, engage une réflexion sur la nécessaire « refondation » du ministère. Le rapport Rigaud (*Pour une refondation de la politique culturelle*, 1996) insiste sur le rôle nécessaire de l'État, dans un souci de concertation avec les collectivités locales.

Contestée sans être vraiment remise en cause, la politique culturelle est l'un des traits qui fonde l'exception française. Aujourd'hui, l'intervention de l'État est un paramètre essentiel de la vie culturelle du pays.

L'analyse générale de la société française laisse échapper un paramètre essentiel : une France constituée de territoires. Pays centralisé, la France affecte la province d'un signe péjoratif et dépréciateur. Pourtant depuis 1945, et en partie grâce à l'impulsion des pouvoirs publics, on assiste à un **nouvel équilibre des territoires.**

A. LES GRANDES TENDANCES

a. Une société urbaine

En 1945, la France reste marquée par la société rurale. Elle est composée d'une majorité de citadins depuis seulement les années 30. Ensuite, la croissance urbaine, forte jusqu'à la fin des années 60, modifie la physionomie du territoire sans pour autant effacer les clivages hérités. L'activité industrielle continue d'expliquer les principales concentrations urbaines. **Surtout, le mode de vie urbain se répand progressivement et touche, avec plus ou moins de retard, l'ensemble des campagnes.**

Tableau 28 **Unités urbaines de 20 000 habitants et plus**					
	1901	**1954**	**1962**	**1968**	**1975**
Nombre	124	174	206	214	228
Population (millions)	9,36	16,1	21,64	27,4	30,4
% pop. fr.	23,00	37,5	46,80	55,2	57,9
% pop. urbaine	58,60	67,0	73,20	79,0	79,4

Source : Philippe Pinchemel, *La France*, Paris, Armand Colin, 1981.

Aujourd'hui, le fait urbain, au sens large, touche le quart du territoire et concerne 94 % des Français. Quant au retour à la campagne (la périurbanisation des années 80), il apparaît surtout comme un élargissement spatial de l'urbanisation.

Tableau 29
La population urbaine et rurale

	1975-1982 taux d'accroissement (en %)	1982-1990 taux d'accroissement (en %)	1990 (en millions)
Villes (centres)	− 0,06	0,12	23,5
Banlieues	0,93	0,86	18,5
Rural périurbain	1,19	0,95	12,5
Rural traditionnel	− 1,05	− 0,52	2,0

Source : INSEE.

Le recensement de 1990 signale un double phénomène : la concentration de la population reprend à l'échelle des régions et des grandes agglomérations urbaines ; à l'échelle locale, l'étalement et le desserrement des zones les plus densément bâties se poursuivent.

Cette indéniable homogénéisation des modes de vie sur le modèle urbain n'a cependant pas totalement effacé les différences entre la société urbaine et la société rurale. Les formes de sociabilité des grandes villes et des villages ou petites villes sont nettement différenciées. Les petites entités urbaines ont su conserver une trame sociale plus serrée, organisée par les associations et les institutions locales.

b. Une nouvelle géographie industrielle

Jusqu'aux années 50-60, les déséquilibres régionaux soulignent l'héritage de la révolution industrielle. La France de l'ouest et du sud, agricole et rurale, s'oppose à une France de l'est et du nord, industrialisée et dynamique. Les spécialisations industrielles, du Nord charbonnier et textile à l'Est sidérurgique, marquent profondément les sociétés locales.

La troisième révolution industrielle et l'ouverture internationale suscitent de nombreuses mutations. Des régions entières, souvent articulées autour de bassins mono-industriels, sont affectées par les crises qui touchent les secteurs du textile, de la sidérurgie et de l'automobile. Ainsi, depuis les années 70, la Lorraine a enregistré la plus forte perte d'emplois industriels. Les conséquences sociales sont nombreuses et souvent dramatiques à l'échelle des vies individuelles. L'identité et la culture ouvrière se délitent. Cette perte des repères culturels et territoriaux favorise les populismes.

c. Une France plurielle

Depuis la fin des « trente glorieuses », l'écart semble se creuser entre la partie dynamique, peuplée et active du territoire et une large bande, majoritairement rurale, qui court du centre au nord-est du pays. *La France inverse* (René Ulrich, 1987) témoigne des mutations régionales : l'Ouest et le Sud, régions devenues attractives, comptent des foyers dynamiques centrés sur des métropoles comme Nantes et Toulouse. La mobilité interrégionale n'est pas seulement liée aux facteurs économiques. L'après 68 se traduit par une volonté de « vivre au pays » dans un contexte de résurgence des identités régionales. De surcroît, le recensement de 1990 montre que la région francilienne est de nouveau attractive. L'Ile-de-France regroupe 18,9 % de la population française sur 2,2 % du territoire. Si son PIB par habitant est supérieur à celui de la province, les disparités sociales sont fortes et se lisent dans l'espace : le Nord-Est populaire s'oppose au Sud-Ouest et à Paris *intra-muros* « bourgeois ».

Les disparités sociales se répercutent sur les représentations des territoires. Depuis la fin des « trente glorieuses », deux types d'espace sont particulièrement touchés par les conséquences du marasme économique. Le rural profond est de plus en plus isolé, placé en situation de périphérie marginalisée. La banlieue, espace stigmatisé, est perçue à travers tous les maux qui affectent la société postindustrielle : le chômage, la drogue, la délinquance et la violence.

B. LE RÔLE DES POUVOIRS PUBLICS

a. L'aménagement du territoire

En 1947, *Paris et le Désert français* publié par le géographe Jean-François Gravier relance le débat sur la centralisation excessive du pays. A partir de 1963, la Délégation à l'aménagement du territoire et à l'action régionale (DATAR) privilégie l'action économique. Le tourisme, l'urbanisme et l'industrie bénéficient d'une attention particulière. Le bilan est contrasté. La **politique de « décentralisation industrielle »** – essentiellement une déconcentration des établissements de production – se traduit par la création d'environ 600 000 emplois en province. Si des pôles comme Grenoble et Toulouse se développent, la théorie de l'industrie lourde industrialisante se révèle illusoire. Une politique urbaine conforte huit métropoles d'équilibre et crée cinq villes nouvelles en région parisienne.

A partir des années 70, la DATAR se charge de compenser les destructions d'emplois dans les villes de province touchées par la désindustrialisation. La stratégie du développement local et la création des technopoles témoignent de l'inflexion des priorités. La concentration urbaine sous la forme **de la métropolisation** – concentration des populations et des activités dans de vastes aires urbanisées de manière discontinue – accompagne l'émergence de nouveaux modes de vie. Les préoccupations de protection de l'environnement et de la qualité de la vie s'affirment peu à peu.

Au début des années 90, l'aménagement du territoire apparaît comme un remède au marasme socio-économique. Quelques « délocalisations », comme celle de l'École nationale d'administration (ENA) à Strasbourg, symbolisent cette volonté. Surtout, le débat Paris-province, qui avait dominé le discours sur l'aménagement du territoire, est en partie dépassé. L'objectif affiché est de contenir le développement démographique de la capitale tout en confirmant son rôle de métropole internationale. En 1995, la loi d'orientation pour l'aménagement et le développement du territoire consacre la volonté d'assurer à chaque citoyen l'égalité des chances sur l'ensemble du territoire, en corrigeant les inégalités des conditions de vie liées à la situation géographique.

b. Les lois de décentralisation

La répartition des pouvoirs entre l'État et les collectivités locales intervient dans l'équilibre des territoires. Les lois de décentralisation, mises en œuvre entre 1982 et 1986, figurent parmi les dispositifs législatifs les plus importants qui ont suivi la victoire de François Mitterrand à l'élection présidentielle de mai 1981. Les trois niveaux de collectivité territoriale, la commune, le département et la région, s'administrent librement par des conseils élus. La suppression de la tutelle étatique, le renforcement des exécutifs locaux et de nombreux transferts de compétences matérialisent la rupture. La région est chargée de la planification économique et de la programmation des équipements.

16

Le département apparaît comme une collectivité gestionnaire particulièrement chargée des services et des actions de solidarité. La commune est confortée dans son rôle de proximité et de contact. **Dans la réalité, les chevauchements sont nombreux et conduisent à la multiplication des politiques contractuelles entre l'État et les collectivités locales.**

L'exemple des domaines culturels montre qu'au-delà des textes, ce sont l'esprit et l'élan donnés par le climat décentralisateur qui comptent. La décentralisation théâtrale, impulsée à l'aube de la VIe République et réactivée par André Malraux, fait figure d'expérience pionnière. Au milieu des années 70, les chartes culturelles, peu nombreuses, amorcent le passage d'**un État sélectif à un État partenaire.**

Bien que la décentralisation culturelle soit timide en termes de transferts de compétence, les années Lang confirment cette tendance lourde sous la forme de conventions culturelles, accompagnées d'une déconcentration renforcée du ministère de la Culture. A partir des années 80, les directions régionales des affaires culturelles s'imposent pour la qualité de leur expertise et constituent le partenaire privilégié des collectivités locales et des intermédiaires de la culture. En 1992, la loi d'orientation relative à l'administration territoriale de la République consacre la déconcentration de l'État.

Surtout, la territorialisation croissante de l'action du ministère de la Culture rencontre le volontarisme des collectivités locales.

Tableau 30
La croissance des dépenses culturelles des collectivités locales
(en milliards de francs, 1993)

	1984	1987	1990	1993
Ministère de la Culture	10,67	10,40	11,31	14,5
Collectivités locales	24,32	29,08	31,98	36,9
Communes	21,35	24,92	26,34	30,0
Départements	2,28	3,20	4,39	5,4
Régions	1,70	0,95	1,25	1,5
Ensemble	35,00	39,48	43,29	51,4

Source : ministère de la Culture/DEP.

Au cours des années 70, les grandes villes se dotent de politiques culturelles ; suivies, la décennie suivante, par les départements et les régions. **Cette confluence entre l'État et les collectivités locales, dans un cadre contractuel, suscite une modernisation des équipements culturels et une démultiplication de l'offre culturelle.**

Les grandes métropoles, soucieuses de leur image, se distinguent par l'importance accordée à la production artistique (théâtre, art contemporain, festivals, expositions...) et proposent une offre culturelle d'excellence, susceptible de rivaliser avec les grandes métropoles européennes. La municipalité de Paris, qui bénéficie du soutien que l'État apporte aux établissements nationaux très nombreux dans la capitale, accorde une grande place à la conservation du patrimoine et à la gestion d'équipements de proximité.

Les départements privilégient la conservation-diffusion du patrimoine. Les régions font de la production artistique l'axe majeur de leur politique culturelle. Plus récentes, les politiques culturelles des régions participent à la construction des identités régionales. Quelques villes (Nantes, Strasbourg, Marseille...) et régions impulsent des échanges culturels avec des villes et régions européennes.

Au total, malgré la prééminence maintenue de Paris, les pouvoirs publics ont contribué à une meilleure homogénéisation culturelle du territoire national. Pourtant, depuis le début des années 90, les effets plus sensibles de la crise économique et la résurgence des populismes témoignent de la fragilité des positions acquises.

Les lois de décentralisation et l'aménagement du territoire contribuent à faire vivre un pluralisme territorial. A l'heure où l'État semble en crise, la territorialisation de l'action publique soulève de nombreuses questions. Le découpage actuel permet-il le fonctionnement démocratique d'une société urbaine ? Comment concilier les trois niveaux des collectivités locales alors que se mettent en place des politiques publiques à l'échelle européenne ? Le modèle d'action républicain fondé sur une conception unitaire de la société et de l'État central est-il à même de répondre aux enjeux contemporains ?

La connaissance rétrospective des pratiques culturelles n'est pas aisée. Depuis trente ans, les enquêtes menées par le département des études et de la prospective du ministère de la Culture permettent d'apprécier les principales lignes d'évolution.

A. MINORITAIRES ET ÉLITAIRES

a. Une exclusion pérennisée ?

L'enquête par sondage rappelle combien certaines pratiques culturelles demeurent le fait d'une minorité. L'opéra et l'opérette, les concerts classiques et rock, le théâtre sont pour la majorité des Français des terres inconnues.

Par-delà le caractère fruste de la mesure se révèle le caractère minoritaire et élitiste des pratiques culturelles. Aujourd'hui sub-

Tableau 31 **Les sorties culturelles en 1992**			
Sur 100 Français âgés de 15 ans et plus déclarent avoir fréquenté…	Au cours des 12 derniers mois	Déjà mais non au cours de l'année passée	Jamais
Opéra	3	14	83
Concert jazz	7	14	79
Opérette	2	20	78
Danse prof.	5	20	75
Concert rock	12	15	73
Concert classique	8	24	68
Galerie d'art	15	27	58
Variétés	9	33	58
Danse folklorique	11	35	54
Théâtre prof.	12	38	50
Exposition art	23	34	43
Bal	27	52	21
Monument histo.	30	49	21
Musée	28	53	19
Cirque	14	73	13
Cinéma	49	42	9

Source : ministère de la Culture/DEP.

siste une frange de la population – anciens agriculteurs ou ouvriers non diplômés, âgés et vivant en milieu rural – qui n'a aucun rapport avec le monde des arts et de la culture.

Au sein même des pratiquants, d'autres clivages apparaissent qui sont tout aussi significatifs.

b. Rien ne bouge?

Sur trente ans, la statistique offre dans ses grandes masses une relative stabilité. Cette situation est analysée comme un échec de la politique de démocratisation culturelle par les détracteurs du ministère de la Culture.

	Tableau 32 **L'évolution des pratiques culturelles** (1973-1988)					
Sur 100 Français	Proportion des 15 ans et plus qui sont allés ou ont visité au cours des 12 derniers mois			Proportion de pratiquants qui sont allés ou qui ont visité 5 fois et plus au cours des 12 derniers mois		
	1973	1981	1988	1973	1981	1988
Cinéma	52	50	49	58	60	53
Fête foraine	47	43	45	15	12	10
Musée	27	30	30	15	14	16
Monument	32	32	28	22	20	24
Bal	25	28	28	37	29	23
Match sportif	24	20	25	47	45	41
Exposition	19	21	23	15	17	19
Zoo	30	23	22	4	6	6
Théâtre prof.	12	10	14	25	17	15
Concert rock	6	10	13	15	21	22
Danse folk.	12	11	12	6	5	9
Variétés	11	10	10	12	10	5
Cirque	11	10	9	2	2	2
Concert class.	7	7	9	14	16	16
Danse prof.	6	5	6	2	2	2
Opérette	4	2	3	2	2	2
Opéra	3	2	3	2	2	2

Source : ministère de la Culture/DEP.

La distinction entre pratiquants occasionnels et pratiquants réguliers assombrit encore le bilan quantitatif. Bien plus, ces derniers cumulent à la fois un rythme élevé et une diversité des pratiques culturelles. Pourtant, les analyses qualitatives confirment une évolution considérable des pratiques culturelles des Français depuis trente ans.

La culture occupe une place de plus en plus importante dans la société et participe à la structuration du temps libre et des loisirs. L'essor des industries culturelles contribue à la mise en place d'un « minimum culturel » et d'une « culture commune » (Olivier Donnat, *Les Français face à la culture*, 1994).

c. Une sociologie des pratiques

Au lendemain de 1945, l'opposition entre culture des élites et culture populaire reste forte, sans pour autant interdire des médiations et des hybridations culturelles. Les *Barbelés de la culture* (Daniel Mandon, 1976) subsistent et suscitent l'action des mouvements d'éducation populaire. L'heure est à la culture pour tous, même s'il y a débat sur la définition à lui donner.

A partir des années 60, l'augmentation des taux et des niveaux de scolarisation, l'émergence d'une culture de masse, les politiques volontaristes menées par l'État (▶ **chapitre 15**) et les collectivités locales (▶ **chapitre 16**), les mutations technologiques surtout ont atténué le poids des facteurs liés aux seules catégories socioprofessionnelles. Cependant, pratiques distinctives (Pierre Bourdieu, *La Distinction, critique sociale du jugement*, 1979), les pratiques culturelles sont souvent corrélées aux positions sociales et au capital culturel.

Depuis deux ou trois décennies, le niveau de diplôme et les effets d'âge rendent mieux compte des disparités des rapports à la culture. Le sexe – la féminisation de certaines pratiques est croissante – et le lieu d'habitation – urbain/rural et Paris/province – sont des facteurs qui introduisent des écarts par rapport à l'univers culturel dominant.

B. PRINCIPALES TENDANCES

a. Une culture d'appartement

Le développement de la consommation culturelle à domicile est lié à la place croissante occupée par l'audiovisuel dans le temps de loisirs. La télévision et l'écoute musicale incarnent cette indi-

vidualisation des pratiques, encouragée par les progrès technologiques et la croissance de l'offre. La montée en puissance du
multimédia, enregistré à partir du milieu des années 90, conforte
cette tendance.

Cette forte croissance de la sociabilité privée n'exclut pas une
croissance, certes un peu moins forte, de la sociabilité de sorties
et des sorties nocturnes urbaines.

b. De Gutenberg à Marconi

La lecture de livres connaît un recul dû au moindre intérêt des
jeunes mais aussi des adultes pour cette pratique. Le nombre de
forts lecteurs régresse alors même que le lectorat se féminise
et vieillit. La proportion des non-lecteurs augmente depuis
le début des années 80. **Le déclin de ce support contribue à
remettre en cause la figure de l'homme cultivé.**

Pourtant, les bibliothèques publiques, devenues médiathèques,
enregistrent un grand succès. De même, les usages de la lecture se
sont diversifiés ainsi que l'atteste le succès de la presse magazine.
La concurrence des médias électroniques est vive par rapport
aux usages du temps libre. L'offre s'est démultipliée. La télévision propose 162 heures d'émission en 1950, 8 000 en 1974. **La
rupture des années 80 est capitale** : 3 chaînes publiques au
début de la décennie, 48 en 1994, dont 44 privées, pour près de
44 000 heures de programme.

La loi de 1982 a aussi libéré la radio. Les radios musicales de la
bande FM, vite dominées par huit opérateurs nationaux thématiques, jouent un rôle moteur dans la diversification de l'écoute
et la fragmentation accrue des publics.

La demande suit : de 1980 à 1994, la dépense audiovisuelle a été
multipliée par cinq, soit la plus forte augmentation parmi les
postes de la consommation des ménages.

Les pratiques confirment l'emprise croissante du « petit écran ».
De plus, le magnétoscope, l'apparition de chaînes thématiques
permettent de nouveaux usages, plus individualisés, de la télévision.

c. L'émoi patrimonial

Dès la fin des années 60, le succès des grandes expositions traduit
une sensibilisation accrue au patrimoine. Accompagné par les
pouvoirs publics – Année du patrimoine en 1980 et modernisation des équipements patrimoniaux à Paris comme en région –,
cet « émoi patrimonial » (Jean-Pierre Rioux) colore le climat

culturel d'une société à la recherche de ses racines et doutant de son avenir.

Le succès scientifique et sémantique des *Lieux de mémoire* (Pierre Nora, 1984-1992) accompagne la fréquentation accrue des monuments historiques, des musées et des centres anciens, désormais protégés, des villes.

L'essor du tourisme international et l'élargissement du public habitué, sinon régulier, expliquent ce succès du patrimoine que les médias n'hésitent plus à couvrir.

d. Les pratiques amateurs

Depuis les années 70, les pratiques amateurs, peu prises en compte par le ministère de la Culture, enregistrent une croissance continue et remarquable. Cette tendance est perceptible dans les domaines de la musique, de la danse, du théâtre, de l'écriture et des arts plastiques.

Ces pratiques amateurs touchent surtout les enfants et les adolescents, qui n'hésitent plus à profiter de la diversification de l'offre, à passer d'une pratique à l'autre, voire même à en mener plusieurs de front. **Il s'agit d'une des mutations majeures du paysage culturel des vingt dernières années.** (Olivier Donnat, *Les Amateurs*, 1996).

C. UNE CULTURE JEUNE

a. La rupture des « *sixties* »

Les années 60 donnent naissance à des pratiques culturelles spécifiques de la jeunesse. L'événement emblématique est l'organisation en juin 1963 par l'équipe de *Salut les copains* d'un concert place de la Nation à Paris : 150 000 jeunes applaudissent les idoles de la chanson yé-yé. La *Planète des jeunes* (Jean Duvignaud) se dote de ses propres règles et modèles culturels.

La transmission de la culture des ancêtres n'est plus de mise ; dès lors, c'est l'imitation des jeunes qui va s'imposer. **La mutation est vite comprise, voire suscitée, par les industries culturelles.**

b. De la contre-culture à la reconnaissance

Pendant les années 70, les pratiques juvéniles participent à la construction d'une contre-culture, influencée par les modèles alternatifs américain et britannique. Si seules quelques minorités sont réellement touchées, elles colorent l'ensemble de la vie culturelle du pays. Elles contribuent à grossir le fossé culturel entre les générations nées avant la guerre et les enfants du *baby-boom*.

Mais très vite, certaines pratiques, comme le rock et la bande dessinée, sont reconnues et assimilées. Le rap et la culture hip-hop connaissent la même évolution dans les années 90.

Par ailleurs, en vieillissant, les jeunes des années 60 et 70 continuent ces pratiques qui trouvent aussi, par distinction, leurs formes classiques et cultivées. **Les années 80 assurent la consé-cration de cette culture jeune.** Jack Lang enregistre la mutation et fait du thème de la jeunesse un élément récurrent de son discours et de la politique du ministère de la Culture.

c. Les solidarités générationnelles

Par-delà le relatif refus de la culture consacrée et de la culture scolaire, ces pratiques juvéniles se caractérisent par leur massification, leur intensité et leur diversité. La musique, la culture des images, les voyages sont des éléments partagés. Une intense sociabilité juvénile, qui fonctionne en réseau, conforte ces solidarités générationnelles.

Les jeunes jouissent d'une autonomie éthique et esthétique tout en restant tributaires de l'économie familiale. L'espace des loisirs des jeunes est moins marqué par les positions sociales.

Cela dit, cet éclectisme culturel dominant ne parvient pas à dissoudre certains isolats sociaux et culturels, dans les cités des banlieues notamment. A ce titre, et au-delà de sa récupération par les médias et les industries culturelles, la culture hip-hop, issue de la rue, contribue à forger le sentiment d'une culture revendiquée par une jeunesse urbaine marquée par le multiculturalisme. (Pierre Mayol, *Les Enfants de la liberté*, 1997).

Après l'adolescence, le niveau d'études plus élevé, le sexe masculin et le célibat sont des facteurs qui induisent une propension à conserver plus longtemps ces pratiques jeunes.

L'exclusion, hier dominante, laisse de plus en plus la place à l'éclectisme culturel. *La Culture au pluriel* (Michel de Certeau, 1974), née des conduites d'appropriation des œuvres et des « arts de faire », n'exclut pas la perpétuation et l'apparition de nouvelles disparités sociales et géographiques. **Les pratiques culturelles se sont homogénéisées, massifiées, diffusées sans pour autant se démocratiser réellement.**

CONSEILS DE LECTURE

Ouvrages généraux

BERSTEIN Serge et MILZA Pierre, *Histoire de la France au XXe siècle*, Bruxelles, Complexe, 1995.

L'État de la France, 1985-1998, Paris, Éd. de La Découverte, 1985-1997, 9 volumes.

MENDRAS Henri, *La Seconde Révolution française, 1965-1984*, Paris, Gallimard, 1994.

SIRINELLI Jean-François (sous la dir. de), *La France de 1914 à nos jours*, Paris, PUF, 1993.

Histoire sociale

BORNE Dominique, *Histoire de la société française depuis 1945*, Paris, Armand Colin, 1992.

GUILLAUME Pierre, *Histoire sociale de la France au XXe siècle*, Paris, Masson, 1993.

SCHOR Ralph, *Histoire de l'immigration en France*, Paris, Armand Colin, 1996.

Histoire religieuse

CHOLVY Gérard et HILAIRE Yves-Marie, *Histoire religieuse de la France contemporaine*, Toulouse, Privat, 1988.

LE GOFF Jacques et REMOND René (sous la dir. de), *Histoire de la France religieuse*, t. 4 : *XXe siècle*, Paris, Éd. du Seuil, 1992.

Histoire culturelle

ALBERTINI Pierre, *L'École en France, XIXe-XXe siècle*, Paris, Hachette, 1992.

GOETSCHEL Pascale et LOYER Emmanuelle, *Histoire culturelle et intellectuelle de la France au XXe siècle*, Paris, Armand Colin, 1994.

ORY Pascal, *L'Aventure culturelle française, 1945-1989*, Paris, Flammarion, 1989.

ORY Pascal et SIRINELLI Jean-François, *Les Intellectuels en France, de l'affaire Dreyfus à nos jours*, Paris, Armand Colin, 1991.

POIRRIER Philippe, *Histoire des politiques culturelles de la France contemporaine*, Dijon, Bibliest-université de Bourgogne, 1996.